LE BESCHERELL

l'art de conjuguer

DICTIONNAIRE
DE DOUZE MILLE VERBES

NOUVELLE ÉDITION
ENTIÈREMENT REMISE A JOUR

LIBRAIRIE HATIER - 8 RUE D'ASSAS - PARIS-6e

VENTE INTERDITE AU CANADA

AVERTISSEMENT

La conjugaison des verbes reste la principale difficulté de notre langue. La nouvelle édition du BESCHERELLE 1 fournit une liste des verbes, révisée et augmentée. Quelques rares verbes désuets ont été abandonnés. En revanche, parmi les centaines de verbes introduits figurent des verbes relevant des langues de métiers et de la langue argotique, familière ou verte.

Comment se fait-il que sept mille entrées représentent douze mille verbes? D'une part, certaines entrées correspondent à plusieurs verbes différents selon le sens et selon l'origine, p. ex. appointer, écarter, épater, rembarrer; d'autre part, les significations de certains verbes se sont parfois développées de manière autonome, p. ex. entoiler : fixer quelque chose sur une toile et fixer une toile sur un support. Sont donc comptés les emplois transitifs et les emplois véritablement intransitifs ainsi que les emplois pronominaux qui ne se réduisent pas au sens passif (ce qui serait le cas pour s'éduquer, s'épousseter ou s'exploiter). Qu'il faille compter plus d'un « verbe » pour voler ou ressortir, pour rendre (et se rendre), pour entraver (un animal) et entraver (comprendre, en argot), cela tombe sous le sens. Si l'on comptait cependant toutes les acceptions distinguées par les bons dictionnaires, on obtiendrait plus de cinquante mille mentions.

Les variantes orthographiques sont signalées, p. ex. ariser et arriser, receper et recéper, retercer et reterser.

Comme par le passé, le BESCHERELLE 1 assure une triple fonction. Il offre un dictionnaire orthographique des verbes en fin de volume. Il permet de résoudre les problèmes de conjugaison par le renvoi aux 82 tableaux qui forment la partie centrale de l'ouvrage. Enfin, il présente l'essentiel de la grammaire du verbe, autant par les renseignements donnés dans la liste alphabétique que par l'exposé grammatical placé en tête (pp. 6 à 12).

Puisse donc ce BESCHERELLE 1 contemporain, loin de déconcerter les fidèles usagers du précédent, aider mieux encore que par le passé tous ceux, petits et grands, Français et étrangers, qui veulent s'initier aux difficultés et aux délicatesses de notre conjugaison et qui ont le souci de s'exprimer avec pureté et correction.

L'Éditeur

© Hatier – Paris 1980

ISBN 2 – 218 – **04889** – 2

1
La grammaire du verbe | **p. 6 à 12**

2
La conjugaison
(tableau synoptique p. 14)
(les verbes types p. 16)
(le troisième groupe p. 98)
(le choix de l'auxiliaire p. 100) | **p. 13 à 100**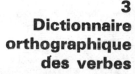

3
Dictionnaire orthographique des verbes
(avec indications d'emploi et renvois aux tableaux) | **p. 101 à 158**

LA GRAMMAIRE DU VERBE

Un verbe se conjugue. Sont susceptibles de varier : la *personne (aimes, aimons)*, le *temps (veut, voulut)*, le *mode (envoya, envoyât)*, l'*aspect (connut, connaissait)* et la *voix (a vendu, s'est vendu, a été vendu)*. Les formes entraînées par ces variations sont présentées systématiquement dans les **tableaux de conjugaison**.

L'accord selon la personne peut présenter quelques difficultés, qu'il s'agisse de l'accord avec le *sujet* ou, pour le participe et dans certains cas seulement, de l'accord avec l'*objet*. En traite la plus grande partie de la présente **grammaire du verbe**.

Le **dictionnaire orthographique** donne les verbes sous la forme infinitive et mentionne à leur propos les emplois types ou propres dont voici les caractéristiques :

On appelle *transitif* le verbe employé avec un complément d'objet (= sur lequel s'exerce ou passe l'action du sujet exprimée par le verbe). Lorsque le complément d'objet n'est pas précédé par une préposition, il est dit direct. Le verbe est alors indexé T dans le dictionnaire, p. ex. *abolir*. Lorsque le complément d'objet est introduit par une préposition, il est dit indirect. Dans ce cas, la préposition est indiquée dans le dictionnaire, p. ex. *coopérer à*.

Tous les verbes ne sont pas transitifs. Certains verbes relient l'attribut au sujet : ce sont les verbes attributifs, p. ex. *devenir, sembler, rester*. D'autres verbes expriment à eux seuls le procès complet et peuvent se passer d'autres compléments. Ils sont dits *intransitifs* et indexés I dans le dictionnaire, p. ex. *abonder*.

Le verbe *pronominal* est un verbe qui se conjugue avec un pronom personnel de la même personne que le sujet et désignant le même être que lui. On distingue les emplois pronominaux réfléchis *(je me lève)* et les emplois pronominaux réciproques *(ils se battent)*. Certains verbes sont dits essentiellement pronominaux, p. ex. *s'évanouir*. La tournure pronominale peut correspondre à un sens passif, l'objet de la tournure active devenant sujet *(presque tous les verbes s'y trouvent < on y trouve presque tous les verbes)*. L'emploi pronominal est noté P dans le dictionnaire. La notation P indique que le participe du verbe ainsi noté demeure invariable dans les temps composés.

Certains verbes ont plusieurs emplois. Tous les verbes transitifs peuvent, avec l'aide du contexte, être employés seuls, « absolument ». Tous les verbes transitifs donnent lieu à une construction pronominale à sens passif; l'indexation T suffit à le rappeler. Pour d'autres verbes, les divers emplois sont indexés séparément, p. ex. I & T *(aborder)*, I & P *(crapahuter)*, T & P *(abstraire)* ou I & T & P *(crever)*.

DU RADICAL ET DE LA TERMINAISON DU VERBE

Il y a deux parties dans un verbe : le **radical** et la **terminaison;** le radical reste invariable, la terminaison varie.
Pour trouver le radical d'un verbe, il suffit de retrancher l'une des terminaisons de l'infinitif : **er, ir, oir** et **re.** Ex. : **er** dans *chant*er, **ir** dans *roug*ir, etc., **radical** : *chant, roug.*

DES TROIS GROUPES DE VERBES

Il y a, en français, *trois groupes de verbes,* qui se distinguent surtout d'après les terminaisons de l'infinitif, de la première personne de l'indicatif présent, du participe présent.

● Le 1er groupe renferme les verbes terminés en **er** à l'infinitif et par **e** à la première personne du présent de l'indicatif : *Aim*er, *j'aim*e.

● Le 2e groupe renferme les verbes terminés par **ir** et ayant l'indicatif présent en **is** et le participe présent en **issant** : *Fin*ir, *je fin*is, *fin*issant.

● Le 3e groupe comprend tous les autres verbes :
- Le verbe *aller.*
- Les verbes en **ir** qui n'ont pas l'indicatif présent en **is** et le participe présent en **issant** : *Cueill*ir, *part*ir.
- Les verbes terminés à l'infinitif en **oir** ou en **re** : *Recev*oir, *rend*re.

NOTA. Les verbes nouveaux sont presque tous du 1er groupe : *téléviser, atomiser, radiographier,* etc.; quelques-uns du 2e : *amerrir.*

Le 3e groupe avec ses quelque 350 verbes est une conjugaison morte. A la différence des deux premiers groupes qui sont de type régulier, c'est lui qui compte le plus grand nombre d'exceptions et d'irrégularités de toute la conjugaison française.

Pour les terminaisons propres à ces 3 groupes : voir tableau 5.

DE L'ACCORD DU VERBE AVEC LE SUJET

UN SEUL SUJET

RÈGLE : Le verbe s'accorde avec son sujet en nombre et en personne :
Pierre est là. Tu arrives. Nous partons. Ils reviendront.

Cas particuliers

● **Qui,** sujet, impose au verbe la personne de son antécédent : *C'est* **moi** *qui* **suis** *descendu le premier* et non *qui* **est** *descendu.*
Cependant, après les expressions *le premier qui, le seul qui,* le verbe peut toujours se mettre à la 3e personne :
Tu es le seul qui en **sois** *capable* ou *qui en* **soit** *capable.*

● **Verbes impersonnels.** Toujours au singulier, même si le sujet réel est au pluriel :

> *Il tombait de gros flocons de neige.*

Cependant, si l'on doit dire : *c'est nous, c'est vous,* il est préférable de dire : *ce sont eux, c'étaient les enfants,* plutôt que *c'est eux, c'était les enfants.*

● **Noms collectifs.** Quand le sujet est un nom singulier du type *foule, multitude, infinité, troupe, groupe, nombre, partie, reste, majorité, dizaine, douzaine,* etc., suivi d'un complément de nom au pluriel, le verbe se met au singulier ou au pluriel selon que l'accent est mis sur l'ensemble ou au contraire sur les individus :

> *Une* **foule** *de promeneurs* **remplissait** *l'avenue.*

> *Un grand nombre de* **spectateurs manifestèrent** *bruyamment leur enthousiasme.*

● **Adverbes de quantité.** Quand le sujet est un adverbe tel que *beaucoup, peu, plus, moins, trop, assez, tant, autant, combien, que,* ou des locutions apparentées : *nombre de, quantité de, la plupart,* que ces mots soient suivis ou non d'un complément, le verbe se met au pluriel, à moins que le complément ne soit au singulier :

> *Beaucoup de candidats se présentèrent au concours, mais combien ont échoué!*

> *Peu de monde était venu.*

REMARQUE : *Le peu de* veut, selon la nuance de sens, le singulier ou le pluriel :

> *Le peu d'efforts qu'il fait* **explique** *ses échecs* = la quantité insuffisante d'efforts.

> *Le peu de mois qu'il vient de passer à la campagne lui* **ont fait** *beaucoup de bien* = les quelques mois.

Plus d'un veut paradoxalement le singulier, alors que *moins de deux* veut le pluriel :

> *Plus d'un le* **regrette** *et pourtant moins de deux semaines seulement se* **sont écoulées** *depuis son départ.*

Un (e) des... qui veut d'habitude le pluriel mais c'est le sens qui décide si le véritable antécédent de **qui** est le pronom indéfini **un,** et alors le verbe se met au singulier, ou si c'est le complément partitif, et alors le verbe se met au pluriel :

> *C'est un des écrivains de la nouvelle école qui a obtenu le prix.*

> *C'est un des rares romans intéressants qui aient paru cette année.*

PLUSIEURS SUJETS

RÈGLE. S'il y a plusieurs sujets, le verbe se met au pluriel :

> *Mon père et mon oncle chassaient souvent ensemble.*

Si les sujets sont de différentes personnes, la 2e l'emporte sur la 3e, et la 1re sur les deux autres :

> *François et toi, vous êtes en bons termes.*

> *François et moi, nous sommes en bons termes.*

CAS PARTICULIERS

1. Sujets coordonnés

- par **et** . Le pronom *l'un et l'autre* veut le pluriel mais le singulier est correct : *L'un et l'autre se disent,* ou moins couramment, *se dit.*

- par **ou,** par **ni.** Le verbe se met au singulier si les sujets s'excluent : *La crainte ou l'orgueil l'a paralysé. Ni l'un ni l'autre n'emportera le prix.*

Le verbe se met au pluriel si les sujets peuvent agir en même temps : *Ni l'oisiveté ni le luxe ne font le bonheur. La peur ou la misère ont fait commettre bien des fautes* (Ac.).

- par **comme, ainsi que, avec.** Le verbe se met au pluriel si ces mots équivalent à **et** : *Le latin comme le grec sont des langues anciennes.*
Le verbe se met au singulier si ces mots gardent leur valeur grammaticale propre : *Le latin, comme le grec, possède des déclinaisons* (comparaison).

2. Sujets juxtaposés ou coordonnés

- *désignant un être unique :* le verbe se met au singulier :
C'est l'année où mourut mon oncle et mon tuteur.

- *formant une gradation :* le verbe s'accorde avec le dernier terme; surtout si celui-ci récapitule tous les autres (en particulier *chacun, tout, aucun, nul, personne, rien...*) : *Femmes, moine, vieillards,* **tout** *était descendu.*

DE L'ACCORD DU PARTICIPE PASSÉ

1 PARTICIPE PASSÉ EMPLOYÉ SANS AUXILIAIRE

RÈGLE : Le participe passé employé sans auxiliaire s'accorde avec le nom (ou pronom) auquel il se rapporte comme un simple adjectif :
L'année passée. Des fleurs écloses. Vérification faite.

Cas particuliers

● *Attendu, y compris, non compris, excepté, supposé, vu;* etc.
- placés devant le nom sont traités comme des mots-outils et de ce fait sont invariables :
Excepté les petits enfants, toute la population de l'île fut massacrée.
- placés après le nom, ils sont sentis comme de vrais participes et s'accordent : *Les petits enfants exceptés...*

● *Étant donné* placé en tête peut s'accorder ou rester invariable :
Étant donné les circonstances ou *Étant données les circonstances...*
Mais on dira toujours : *Les circonstances étant données...*

● *Ci-joint, ci-inclus,* etc., devenus mots-outils, sont invariables en tête de phrase ou devant un nom sans article :
Ci-inclus la quittance. Vous trouverez ci-inclus copie de la lettre.
Après un nom, véritables participes, ils s'accordent .
Vous voudrez bien acquitter la facture ci-jointe.
Cependant l'accord est facultatif quand ils précèdent un nom accompagné de l'article :
Vous trouverez ci-inclus ou *ci-incluse la copie de la lettre.*

2 PARTICIPE PASSÉ EMPLOYÉ AVEC L'AUXILIAIRE ÊTRE

RÈGLE : Le participe passé conjugué avec l'auxiliaire *être* s'accorde en genre et en nombre avec le sujet du verbe : *Ces fables seront* **lues** *à haute voix. Nous étions* **venus** *en toute hâte. Tant de sottises ont été* **faites.**

Cette règle vaut pour les temps composés de quelques verbes intransitifs à la forme active et pour tous les temps de tous les verbes à la forme passive. Pour les verbes pronominaux, voir ci-dessous, cas particuliers.

3 PARTICIPE PASSÉ EMPLOYÉ AVEC L'AUXILIAIRE AVOIR

RÈGLE : Le participe passé conjugué avec l'auxiliaire *avoir* s'accorde avec le complément d'objet direct placé avant le verbe. S'il n'y a pas de complément d'objet direct, ou si le complément d'objet direct est placé après le verbe, le participe passé reste invariable :

Je n'aurais jamais **fait** *les sottises qu'il a* **faites.**
As-tu **lu** *les journaux? Je les ai bien* **lus.** *J'ai* **lu** *trop rapidement.*

Cette règle vaut pour les temps composés de tous les verbes à la forme active, à part quelques verbes intransitifs signalés comme se conjuguant avec **être.**

4 CAS PARTICULIERS

● Participes conjugués avec être

Verbes pronominaux. Le participe passé des verbes essentiellement pronominaux de sens passif (cf. p. 6) se conjugue avec l'auxiliaire **être** et s'accorde tout à fait normalement avec le sujet :

Les paysans se sont **souvenus** *que l'an passé les foins s'étaient* **fauchés** *très tard (souvenus accordé avec paysans et fauchés accordé avec foins).*

Au contraire, pour les emplois réfléchis ou réciproques (cf. p. 6), l'auxiliaire **être** étant mis pour **avoir,** le participe passé s'accorde comme s'il était conjugué avec **avoir,** c'est-à-dire avec le complément d'objet direct placé avant :

La jeune fille s'est **regardée** *dans son miroir* (elle a regardé elle-même).
Les deux amis se sont **regardés** *longuement avant de se séparer* (ils ont regardé l'un l'autre mutuellement).

RÈGLE PRATIQUE : Toutes les fois que dans un verbe pronominal on peut remplacer l'auxiliaire **être** par l'auxiliaire **avoir,** on doit accorder le participe passé avec le complément d'objet direct s'il est placé avant (très souvent le pronom réfléchi), mais s'il n'y a pas de complément d'objet direct ou s'il est placé après, le participe passé reste invariable :

Ils se sont **lavés** *à l'eau froide* (ils ont lavé eux-mêmes : accord avec **se**).
Ils se sont **lavé** *les mains* (ils ont lavé les mains à eux-mêmes; le complément d'objet direct *mains* est placé après le verbe : pas d'accord).
Ils se sont **nui** (ils ont nui à eux-mêmes; **se** est complément d'objet indirect : pas d'accord).

Mais si on ne peut pas remplacer **être** par **avoir,** le participe passé s'accorde avec le sujet :

Elles se sont **repenties** *de leur étourderie.*
(On ne peut dire : elles ont repenti elles-mêmes : accord avec le sujet *elles*.)

REMARQUE. Le participe passé des verbes réfléchis suivants, dans lesquels **être** peut se remplacer par **avoir**, reste invariable parce qu'ils n'admettent pas de compléments d'objet direct : *se convenir, se nuire, se plaire, se complaire, se déplaire, se parler, se ressembler, se succéder, se suffire, se sourire, se rire, s'appartenir.* En revanche, bien que le verbe *s'arroger* soit inusité à la forme active, son participe passé s'accorde comme s'il était conjugué avec **avoir** :

> *Les droits qu'il s'était* **arrogés.**

● **Participes conjugués avec avoir**

1. Cas où le complément d'objet direct est :

a. *le pronom adverbial* **en,** signifiant *de lui, d'elle, d'eux, d'elles, de cela.* La règle généralement admise est de ne pas accorder le participe :

> *Une bouteille de liqueur traînait par là : ils en ont* **bu.**
> *Des nouvelles de mon frère? Je n'en ai pas* **reçu** *depuis longtemps.*

Lorsque **en** est associé à un adverbe de quantité tel que *combien, tant, plus, moins, beaucoup,* etc., les règles sont si byzantines et si contestées que le parti le plus sage est de laisser le participe toujours invariable :

> *Des truites? Il en a tant* **pris!** *Pas autant cependant qu'il en a* **manqué.**
> *Combien en a-t-on* **vu,** *je dis des plus huppés.* (Racine)
> *J'en ai tant* **vu,** *des rois.* (V. Hugo)

b. *le pronom personnel* **le.** Quand il a le sens de *cela* et représente toute une proposition, le participe passé est invariable :

> *Cette équipe s'est adjugé facilement la victoire, comme je l'avais* **pressenti.**

Mais lorsque **le** tient la place d'un nom, le participe s'accorde normalement :

> *Cette victoire, je l'avais* **pressentie.**

c. *un nom collectif* suivi d'un complément au pluriel *(une foule de gens),* un adverbe de quantité *(combien de gens),* les locutions *le peu de, un des..., qui, plus d'un, moins de deux.* Il y a lieu, pour l'accord du participe passé, d'observer les mêmes règles qui régissent l'accord du verbe lorsque ces expressions sont sujet (voir p. 7).

2. Verbes impersonnels

Le participe passé est toujours invariable :

> *Les énormes grêlons qu'il est* **tombé.**

En particulier *eu, fait, fallu* ne s'accordent jamais dans les phrases suivantes :

> *Les gelées qu'il a* **fait.** *Les accidents qu'il y a* **eu.**
> *La ténacité qu'il lui a* **fallu.**

3. Verbes tantôt transitifs, tantôt intransitifs

Les participes **valu, coûté, pesé, couru, vécu,** sont invariables quand le verbe est employé au sens propre (intransitif), mais s'accordent avec le complément d'objet placé avant, quand ils sont employés au sens figuré (transitif) :

> *Les millions que cette maison a* **coûté** (elle a coûté combien?)
> mais *Les soucis que cette maison nous a* **coûtés** (elle nous a coûté quoi?).

4. Participes passés suivis d'un infinitif

a. *vu, regardé, aperçu, entendu, écouté, senti* (verbes de perception), *envoyé, amené, laissé,* suivis d'un infinitif, tantôt s'accordent et tantôt sont invariables.

Si le nom (ou le pronom) qui précède est sujet de l'infinitif, ce nom est senti comme complément d'objet direct du participe et celui-ci s'accorde :
> *La pianiste que j'ai* **entendue** *jouer.*

(j'ai entendu qui? - La ·pianiste faisant l'action de jouer); le complément d'objet direct *que,* mis pour *la pianiste,* est placé avant : on accorde.

Si le nom (ou le pronom) qui précède est complément d'objet et non sujet de l'infinitif, le participe reste invariable puisqu'il a comme complément l'infinitif lui-même :
> *La sonate que j'ai* **entendu** *jouer.*

(j'ai entendu quoi? - jouer; jouer quoi? - la sonate); le complément d'objet direct *jouer* est placé après : on n'accorde pas.

b. *dit, pensé, cru* suivis d'un infinitif sont toujours invariables :
> *Il a perdu la bague qu'il m'avait* **dit** *lui venir de sa mère.*

Et non : *qu'il m'avait dite* car le complément d'objet direct de *avoir dit* est toute la proposition (il m'avait dit quoi? - que sa bague lui venait de sa mère).

c. *fait* suivi d'un infinitif est toujours invariable car il forme avec l'infinitif une expression verbale indissociable :
> *Les soupçons qu'il a* **fait** *naître.*

(*que,* mis pour *soupçons,* est complément d'objet direct de *a fait naître* et non de *a fait* seul).

Pour une raison semblable, *laissé* suivi d'un infinitif, particulièrement dans les locutions *laisser dire, laisser faire, laisser aller,* peut ne pas s'accorder même quand le nom (ou le pronom) qui précède est sujet de l'infinitif :
> *Quelle indulgence pour ses petits-enfants! Il les a* **laissé** *jouer avec sa montre et il ne les a pas* **laissé** *gronder.*

On peut, il est vrai, écrire : *il les a* **laissés** *jouer* si, détachant le verbe *laisser* du verbe *jouer,* on comprend : *il leur a permis de jouer avec sa montre.* Mais le deuxième participe *laissé* est obligatoirement invariable puisqu'en aucun cas *les* ne peut être sujet de *gronder.*

d. *eu à, donné à, laissé à* suivis d'un infinitif s'accordent ou restent invariables, selon que le nom (ou le pronom) qui précède est senti ou non comme le complément d'objet direct du participe :
> *Les problèmes qu'il a* **eu** *à résoudre.*

(il a été tenu de quoi? - de résoudre les problèmes).
> *L'auto qu'on lui avait* **donnée** *à réparer.*

(on lui avait donné quoi? - l'auto en vue d'une réparation). Mais ces distinctions sont parfois bien subtiles et l'accord est facultatif.

e. *pu, dû, voulu* sont invariables, quand leur complément d'objet direct est un infinitif ou toute une proposition sous-entendue :
> *J'ai fait tous les efforts que j'ai* **pu** *(faire),*
> *mais je n'ai pas eu tous les succès qu'il aurait* **voulu** *(que j'eusse).*

Ne tolérant pas d'autre emploi, **pû** est toujours invariable.

2
Tableaux de conjugaison
des verbes types

(tableau synoptique   p. 14 et 15)

LES TABLEAUX DE CONJUGAISON

TABLEAUX GÉNÉRAUX

1	Auxiliaire avoir		**4**	Forme pronominale (se méfier)
2	Auxiliaire être		**5**	Les terminaisons
3	Forme passive (être aimé)			des trois groupes de verbes
			6	Forme active (aimer)

PREMIER GROUPE (verbes en -ER)

6	aimer	-er	**13**	créer	-éer
7	placer	-cer	**14**	assiéger	-éger
8	manger	-ger	**15**	apprécier	-ier
9	peser	-e(.)er	**16**	payer	-ayer
10	céder	-é(.)er	**17**	broyer	-oyer/uyer
11	jeter	-eler/eter I	**18**	envoyer	—
12	modeler	-eler/eter II			

DEUXIÈME GROUPE (verbes en -IR/ISSANT)

19	finir	-ir	**20**	haïr	—

TROISIÈME GROUPE

21	Généralités		**22**	aller

1re section (verbes en -IR/ANT)

23	tenir	-enir	**31**	bouillir	-llir
24	acquérir	-érir	**32**	dormir	-mir
25	sentir	-tir	**33**	courir	-rir
26	vêtir	—	**34**	mourir	—
27	couvrir	-vrir/frir	**35**	servir	-vir
28	cueillir	-llir	**36**	fuir	-uir
29	assaillir	—	**37**	ouïr, gésir	
30	faillir	—			

TROISIÈME GROUPE (suite)

2ᵉ section (verbes en -OIR)

38	recevoir	-cevoir		46	falloir	-loir
39	voir	-voir		47	valoir	—
40	pourvoir	—		48	vouloir	—
41	savoir	—		49	asseoir	-seoir
42	devoir	—		50	seoir, messeoir	—
43	pouvoir	—		51	surseoir	—
44	mouvoir	—		52	choir, échoir, déchoir	
45	pleuvoir	—				

3ᵉ section (verbes en -RE)

53	rendre	-andre/endre/ondre -erdre/ordre		68	croire	-oire
				69	boire	—
54	prendre	—		70	clore	-ore
55	battre	-attre		71	conclure	-ure
56	mettre	-ettre		72	absoudre	-oudre
57	peindre	-eindre		73	coudre	—
58	joindre	-oindre		74	moudre	—
59	craindre	-aindre		75	suivre	-ivre
60	vaincre			76	vivre	—
61	traire	-aire		77	lire	-ire
62	faire	—		78	dire	—
63	plaire	—		79	rire	—
64	connaître	-aître		80	écrire	—
65	naître	—		81	confire	—
66	paître	—		82	cuire	-uire
67	croître	-oître				

Pour savoir avec quel auxiliaire se conjugue un verbe, se reporter au dictionnaire orthographique p. 101 à 157.

1 VERBE **AVOIR**

Avoir est verbe transitif quand il a un complément d'objet direct : *J'ai un beau livre.*
Mais le plus souvent il sert d'auxiliaire pour tous les verbes à la forme active sauf
pour quelques verbes intransitifs qui dans la liste alphabétique sont suivis du signe ◆ :
J'**ai** *acheté un livre ;* mais : Je **suis** *venu en toute hâte.*

INDICATIF

Présent		Passé composé		
j'	ai	j'	ai	eu
tu	as	tu	as	eu
il	a	il	a	eu
nous	avons	n.	avons	eu
vous	avez	v.	avez	eu
ils	ont	ils	ont	eu

Imparfait		Plus-que-parfait		
j'	avais	j'	avais	eu
tu	avais	tu	avais	eu
il	avait	il	avait	eu
nous	avions	n.	avions	eu
vous	aviez	v.	aviez	eu
ils	avaient	ils	avaient	eu

Passé simple		Passé antérieur		
j'	eus	j'	eus	eu
tu	eus	tu	eus	eu
il	eut	il	eut	eu
nous	eûmes	n.	eûmes	eu
vous	eûtes	v.	eûtes	eu
ils	eurent	ils	eurent	eu

Futur simple		Futur antérieur		
j'	aurai	j'	aurai	eu
tu	auras	tu	auras	eu
il	aura	il	aura	eu
nous	aurons	n.	aurons	eu
vous	aurez	v.	aurez	eu
ils	auront	ils	auront	eu

SUBJONCTIF

Présent ¡		Passé		
que j'	aie	que j'	aie	eu
que tu	aies	que tu	aies	eu
qu'il	ait	qu'il	ait	eu
que n.	ayons	que n.	ayons	eu
que v.	ayez	que v.	ayez	eu
qu'ils	aient	qu'ils	aient	eu

Imparfait		Plus-que-parfait		
que j'	eusse	que j'	eusse	eu
que tu	eusses	que tu	eusses	eu
qu'il	eût	qu'il	eût	eu
que n.	eussions	que n.	eussions	eu
que v.	eussiez	que v.	eussiez	eu
qu'ils	eussent	qu'ils	eussent	eu

IMPÉRATIF

Présent	Passé	
aie	aie	eu
ayons	ayons	eu
ayez	ayez	eu

CONDITIONNEL

Présent		Passé 1ʳᵉ forme		
j'	aurais	j'	aurais	eu
tu	aurais	tu	aurais	eu
il	aurait	il	aurait	eu
n.	aurions	n.	aurions	eu
v.	auriez	v.	auriez	eu
ils	auraient	ils	auraient	eu

Passé 2ᵉ forme		
j'	eusse	eu
tu	eusses	eu
il	eût	eu
n.	eussions	eu
v.	eussiez	eu
ils	eussent	eu

INFINITIF

Présent	Passé
avoir	avoir eu

PARTICIPE

Présent	Passé
ayant	eu, eue
	ayant eu

Être sert d'auxiliaire : 1. à tous les verbes passifs; 2. à tous les verbes pronominaux; 3. à quelques verbes intransitifs qui dans la liste alphabétique sont suivis du signe ♦. Certains verbes se conjuguent tantôt avec **être,** tantôt avec **avoir,** ils sont affectés du signe ♦. Le participe **été** est toujours invariable.

INDICATIF

Présent		Passé composé	
je	suis	j' ai	été
tu	es	tu as	été
il	est	il a	été
nous	sommes	n. avons	été
vous	êtes	v. avez	été
ils	sont	ils ont	été

Imparfait		Plus-que-parfait	
j'	étais	j' avais	été
tu	étais	tu avais	été
il	était	il avait	été
nous	étions	n. avions	été
vous	étiez	v. aviez	été
ils	étaient	ils avaient	été

Passé simple		Passé antérieur	
je	fus	j' eus	été
tu	fus	tu eus	été
il	fut	il eut	été
nous	fûmes	n. eûmes	été
vous	fûtes	v. eûtes	été
ils	furent	lls eurent	été

Futur simple		Futur antérieur	
je	serai	j' aurai	été
tu	seras	tu auras	été
il	sera	il aura	été
nous	serons	n. aurons	été
vous	serez	v. aurez	été
ils	seront	ils auront	été

SUBJONCTIF

Présent		Passé	
que je sois		que j' aie	été
que tu sois		que tu aies	été
qu'il soit		qu'il ait	été
que n. soyons		que n. ayons	été
que v. soyez		que v. ayez	été
qu'ils soient		qu'ils· aient	été

Imparfait		Plus-que-parfait	
que je fusse		que j' eusse	été
que tu fusses		que tu eusses	été
qu'il fût		qu'il eût	été
que n. fussions		que n. eussions	été
que v. fussiez		que v. eussiez	été
qu'ils fussent		qu'ils eussent	été

IMPÉRATIF

Présent	Passé	
sois	aie	été
soyons	ayons	été
soyez	ayez	été

CONDITIONNEL

Présent		Passé 1ʳᵉ forme	
je	serais	j' aurais	été
tu	serais	tu aurais	été
il	serait	il aurait	été
n.	serions	n. aurions	été
v.	seriez	v. auriez	été
ils	seraient	ils auraient	été

Passé 2ᵉ forme		
j'	eusse	été
tu	eusses	été
ll	eût	été
n.	eussions	été
v.	eussiez	été
ils	eussent	été

INFINITIF

Présent	Passé
être	avoir été

PARTICIPE

Présent	Passé
étant	été
	ayant été

3 ÊTRE AIMÉ conjugaison type de la forme passive

INDICATIF

Présent		Passé composé	
je suis	aimé	j' ai	été aimé
tu es	aimé	tu as	été aimé
il est	aimé	il a	été aimé
n. sommes	aimés	n. avons	été aimés
v. êtes	aimés	v. avez	été aimés
ils sont	aimés	ils ont	été aimés

Imparfait		Plus-que-parfait	
j' étais	aimé	j' avais	été aimé
tu étais	aimé	tu avais	été aimé
il était	aimé	il avait	été aimé
n. étions	aimés	n. avions	été aimés
v. étiez	aimés	v. aviez	été aimés
ils étaient	aimés	ils avaient	été aimés

Passé simple		Passé antérieur	
je fus	aimé	j' eus	été aimé
tu fus	aimé	tu eus	été aimé
il fut	aimé	il eut	été aimé
n. fûmes	aimés	n. eûmes	été aimés
v. fûtes	aimés	v. eûtes	été aimés
ils furent	aimés	ils eurent	été aimés

Futur simple		Futur antérieur	
je serai	aime	j' aurai	été aimé
tu seras	aimé	tu auras	été aimé
il sera	aimé	il aura	été aimé
n. serons	aimés	n. aurons	été aimés
v. serez	aimés	v. aurez	été aimés
ils seront	aimés	ils auront	été aimés

SUBJONCTIF

Présent		Passé	
que je sois	aimé	que j' aie	été aimé
que tu sois	aimé	que tu aies	été aimé
qu'il soit	aimé	qu'il ait	été aimé
que n. soyons	aimés	que n. ayons	été aimés
que v. soyez	aimés	que v. ayez	été aimés
qu'ils soient	aimés	qu'ils aient	été aimés

Imparfait		Plus-que-parfait	
que je fusse	aimé	que j' eusse	été aimé
que tu fusses	aimé	que tu eusses	été aimé
qu'il fût	aimé	qu'il eût	été aimé
que n. fussions	aimés	que n. eussions	été aimés
que v. fussiez	aimés	que v. eussiez	été aimés
qu'ils fussent	aimés	qu'ils eussent	été aimés

IMPÉRATIF

Présent	Passé
sois aimé	*inusité*
soyons aimés	
soyez aimés	

CONDITIONNEL

Présent		Passé 1ʳᵉ forme	
je serais	aimé	j' aurais	été aimé
tu serais	aimé	tu aurais	été aimé
il serait	aimé	il aurait	été aimé
n. serions	aimés	n. aurions	été aimés
v. seriez	aimés	v. auriez	été aimés
ils seraient	aimés	ils auraient	été aimés

Passé 2ᵉ forme	
j' eusse	été aimé
tu eusses	été aimé
il eût	été aimé
n. eussions	été aimés
v. eussiez	été aimés
ils eussent	été aimés

INFINITIF

Présent	Passé
être aimé	avoir été aimé

PARTICIPE

Présent	Passé
étant aimé	aimé, ée
	ayant été aimé

Le participe passé du verbe à la forme passive s'accorde toujours avec le sujet : *elle est aimée.*

conjugaison type de la forme pronominale[1] SE MÉFIER 4

1. Dans les emplois notés **P** dans le dictionnaire (p. 101), le participe passé s'accorde. Dans les emplois notés **P**, le participe passé est invariable (**ils se sont nui**).
Les verbes réciproques ne s'emploient qu'au pluriel *(ils s'entre-tuèrent au lieu de s'entraider).*

INDICATIF

Présent

je me méfie
tu te méfies
il se méfie
n. n. méfions
v. v. méfiez
ils se méfient

Passé composé

je me suis méfié
tu t' es méfié
il s' est méfié
n. n. sommes méfiés
v. v. êtes méfiés
ils se sont méfiés

Imparfait

je me méfiais
tu te méfiais
il se méfiait
n. n. méfiions
v. v. méfiiez
ils se méfiaient

Plus-que-parfait

je m' étais méfié
tu t' étais méfié
il s' était méfié
n. n. étions méfiés
v. v. étiez méfiés
ils s' étaient méfiés

Passé simple

je me méfiai
tu te méfias
il se méfia
n. n. méfiâmes
v. v. méfiâtes
ils se méfièrent

Passé antérieur

je me fus méfié
tu te fus méfié
il se fut méfié
n. n. fûmes méfiés
v. v. fûtes méfiés
ils se furent méfiés

Futur simple

je me méfierai
tu te méfieras
il se méfiera
n. n. méfierons
v. v. méfierez
ils se méfieront

Futur antérieur

je me serai méfié
tu te seras méfié
il se sera méfié
n. n. serons méfiés
v. v. serez méfiés
ils se seront méfiés

INFINITIF

Présent

se méfier

Passé

s'être méfié

SUBJONCTIF

Présent

que je me méfie
que tu te méfies
qu'il se méfie
que n. n. méfiions
que v. v. méfiiez
qu'ils se méfient

Passé

que je me sois méfié
que tu te sois méfié
qu'il se soit méfié
que n. n. soyons méfiés
que v. v. soyez méfiés
qu'ils se soient méfiés

Imparfait

que je me méfiasse
que tu te méfiasses
qu'il se méfiât
que n. n. méfiassions
que v. v. méfiassiez
qu'ils se méfiassent

Plus-que-parfait

que je me fusse méfié
que tu te fusses méfié
qu'il se fût méfié
que n. n. fussions méfiés
que v. v. fussiez méfiés
qu'ils se fussent méfiés

IMPÉRATIF

Présent

méfie-toi
méfions-nous
méfiez-vous

Passé

inusité

CONDITIONNEL

Présent

je me méfierais
tu te méfierais
il se méfierait
n. n. méfierions
v. v. méfieriez
ils se méfieraient

Passé 1re forme

je me serais méfié
tu te serais méfié
il se serait méfié
n. n. serions méfiés
v. v. seriez méfiés
ils se seraient méfiés

Passé 2e forme

je me fusse méfié
tu te fusses méfié
il se fût méfié
n. n. fussions méfiés
v. v. fussiez méfiés
ils se fussent méfiés

PARTICIPE

Présent

se méfiant

Passé

s'étant méfié

LES TERMINAISONS DES TROIS GROUPES DE VERBES

INDICATIF Présent

	1er	2e	3e groupe	
1 S	e[1]	is	s (x[3])	e[5]
2 S	es	is	s (x[3])	es[5]
3 S	e	it	t (d[4])	e[5]
1 P	ons	issons	ons	ons
2 P	ez	issez	ez	ez
3 P	ent	issent	ent (nt[2])	ent

SUBJONCTIF Présent

	1er	2e	3e groupe
1 S	e	isse	e
2 S	es	isses	es
3 S	e	isse	e
1 P	ions	issions	ions
2 P	iez	issiez	iez
3 P	ent	issent	ent

INDICATIF Imparfait

	1er	2e	3e groupe
1 S	ais	issais	ais
2 S	ais	issais	ais
3 S	ait	issait	ait
1 P	ions	issions	ions
2 P	iez	issiez	iez
3 P	aient	issaient	aient

SUBJONCTIF Imparfait [6]

	1er	2e	3e groupe	
1 S	asse	isse[7]	isse[7]	usse[7]
2 S	asses	isses	isses	usses
3 S	ât	ît	ît	ût
1 P	assions	issions	issions	ussions
2 P	assiez	issiez	issiez	ussiez
3 P	assent	issent	issent	ussent

INDICATIF Passé simple

	1er	2e	3e groupe	
1 S	ai	is	is[7]	us[7]
2 S	as	is	is	us
3 S	a	it	it	ut
1 P	âmes	îmes	îmes	ûmes
2 P	âtes	îtes	îtes	ûtes
3 P	èrent	irent	irent	urent

IMPÉRATIF Présent

	1er	2e	3e groupe	
2 S	e	is	s	e[5]
1 P	ons	issons	ons	ons
2 P	ez	issez	ez	ez

INDICATIF Futur simple

	1er	2e	3e groupe
1 S	erai	irai	. . .rai
2 S	eras	iras	. . .ras
3 S	era	ira	. . .ra
1 P	erons	irons	. . .rons
2 P	erez	irez	. . .rez
3 P	eront	iront	. . .ront

CONDITIONNEL Présent

	1er	2e	3e groupe
1 S	erais	irais	. . .rais
2 S	erais	irais	. . .rais
3 S	erait	irait	. . .rait
1 P	erions	irions	. . .rions
2 P	eriez	iriez	. . .riez
3 P	eraient	iraient	. . .raient

Modes impersonnels

	1er	2e	3e groupe
INFINITIF Présent	er	ir	ir; oir; re
PARTICIPE Présent [8]	ant	issant	ant
PARTICIPE Passé	é	i	i (is, it); u (us); t; s

1. Forme interrogative : devant **je** inversé, **e** final s'écrit **é** et se prononce **è** ouvert : *aimé-je ? acheté-je ?*

2. Ont la finale **-ont** : *ils sont, ils ont, ils font, ils vont.*

3. Seulement dans *je peux, tu peux; je veux, tu veux; je vaux, tu vaux.*

4. Ont la finale **d** : les verbes en **dre** (sauf ceux en **...indre** et **soudre** qui prennent un **t**).

5. Ainsi *assaillir, couvrir, cueillir, défaillir, offrir, ouvrir, souffrir, tressaillir,* et, à l'impératif seulement, *avoir, savoir, vouloir* (aie, sache, veuille).

6. Remarquons que pour tous les verbes français, ce temps est formé à partir de la 2e personne du passé simple de l'indicatif.

7. Sauf *je vins,* etc., *je tins,* etc.; *que je vinsse,* etc., *que je tinsse,* etc.; et leurs composés.

8. Les verbes « météorologiques » (neiger, pleuvoir, etc.) ne tolèrent de participe présent que dans le sens figuré.

conjugaison type de la forme active[1] VERBES EN -ER : AIMER

INDICATIF

Présent		Passé composé	
j'	aim e	j' ai	aimé
tu	aim es	tu as	aimé
il	aim e	il a	aimé
nous	aim ons	n. avons	aimé
vous	aim ez	v. avez	aimé
ils	aim ent	ils ont	aimé

Imparfait		Plus-que-parfait	
j'	aim ais	j' avais	aimé
tu	aim ais	tu avais	aimé
il	aim ait	il avait	aimé
nous	aim ions	n. avions	aimé
vous	aim iez	v. aviez	aimé
ils	aim aient	ils avaient	aimé

Passé simple		Passé antérieur	
j'	aim ai	j' eus	aimé
tu	aim as	tu eus	aimé
il	aim a	il eut	aimé
nous	aim âmes	n. eûmes	aimé
vous	aim âtes	v. eûtes	aimé
ils	aim èrent	ils eurent	aimé

Futur simple		Futur antérieur	
j'	aim erai	j' aurai	aimé
tu	aim eras	tu auras	aimé
il	aim era	il aura	aimé
nous	aim erons	n. aurons	aimé
vous	aim erez	v. aurez	aimé
ils	aim eront	ils auront	aimé

SUBJONCTIF

Présent		Passé	
que j'	aim e	que j'	aie aimé
que tu	aim es	que tu	aies aimé
qu'il	aim e	qu'il	ait aimé
que n.	aim ions	que n.	ayons aimé
que v.	aim iez	que v.	ayez aimé
qu'ils	aim ent	qu'ils	aient aimé

Imparfait		Plus-que-parfait	
que j'	aim asse	que j'	eusse aimé
que tu	aim asses	que tu	eusses aimé
qu'il	aim ât	qu'il	eût aimé
que n.	aim assions	que n.	eussions aimé
que v.	aim assiez	que v.	eussiez aimé
qu'ils	aim assent	qu'ils	eussent aimé

IMPÉRATIF

Présent	Passé	
aim e	aie	aimé
aim ons	ayons	aimé
aim ez	ayez	aimé

CONDITIONNEL

Présent		Passé 1re forme	
j'	aim erais	j'	aurais aimé
tu	aim erais	tu	aurais aimé
il	aim erait	il	aurait aimé
n.	aim erions	n.	aurions aimé
v.	aim eriez	v.	auriez aimé
ils	aim eraient	ils	auraient aimé

Passé 2e forme		
j'	eusse	aimé
tu	eusses	aimé
il	eût	aimé
n.	eussions	aimé
v.	eussiez	aimé
ils	eussent	aimé

INFINITIF

Présent	Passé
aim er	avoir aimé

PARTICIPE

Présent	Passé
aimant	aimé, ée
	ayant aimé

---

1. Pour les verbes qui, à la forme active, forment leurs temps composés avec l'auxiliaire **être,** voir la conjugaison du verbe **aller** (tableau 22) ou **mourir** (tableau 34).

7 VERBES EN -CER : PLACER

Les verbes en **-cer** prennent une **cédille** sous le **c** devant les voyelles **a** et **o**
Commençons, tu commenças, pour conserver au **c** le son doux.

Nota : Pour les verbes en **-écer,** voir aussi **10.**

INDICATIF

Présent		Passé composé		
je	pla ce	j'	ai	placé
tu	pla ces	tu as		placé
il	pla ce	il	a	placé
nous	pla çons	n.	avons	placé
vous	pla cez	v.	avez	placé
ils	pla cent	ils ont		placé

Imparfait		Plus-que-parfait		
je	pla çais	j'	avais	placé
tu	pla çais	tu avais		placé
il	pla çait	il	avait	placé
nous	pla cions	n.	avions	placé
vous	pla ciez	v.	aviez	placé
ils	pla çaient	ils avaient		placé

Passé simple		Passé antérieur		
je	pla çai	j'	eus	placé
tu	pla ças	tu eus		placé
il	pla ça	il	eut	placé
nous	pla çâmes	n.	eûmes	placé
vous	pla çâtes	v.	eûtes	placé
ils	pla cèrent	ils eurent		placé

Futur simple		Futur antérieur		
je	pla cerai	j'	aurai	placé
tu	pla ceras	tu auras		placé
il	pla cera	il	aura	placé
nous	pla cerons	n.	aurons	placé
vous	pla cerez	v.	aurez	placé
ils	pla ceront	ils auront		placé

SUBJONCTIF

Présent		Passé		
que je	pla ce	que j'	aie	placé
que tu	pla ces	que tu aies		placé
qu'il	pla ce	qu'il	ait	placé
que n.	pla cions	que n. ayons		placé
que v.	pla ciez	que v. ayez		placé
qu'ils	pla cent	qu'ils aient		placé

Imparfait		Plus-que-parfait		
que je	pla çasse	que j'	eusse	placé
que tu	pla çasses	que tu eusses		placé
qu'il	pla çât	qu'il	eût	placé
que n.	pla çassions	que n. eussions		placé
que v.	pla çassiez	que v. eussiez		placé
qu'ils	pla çassent	qu'ils eussent		placé

IMPÉRATIF

Présent	Passé	
pla ce	aie	placé
pla çons	ayons	placé
pla cez	ayez	placé

CONDITIONNEL

Présent		Passé 1re forme		
je	pla cerais	j'	aurais	placé
tu	pla cerais	tu	aurais	placé
il	pla cerait	il	aurait	placé
n.	pla cerions	n.	aurions	placé
v.	pla ceriez	v.	auriez	placé
ils	pla ceraient	ils	auraient	placé

Passé 2e forme		
j'	eusse	placé
tu	eusses	placé
il	eût	placé
n.	eussions	placé
v.	eussiez	placé
ils	eussent	placé

INFINITIF

Présent	Passé
pla cer	avoir placé

PARTICIPE

Présent	Passé
pla çant	pla cé, ée
	ayant placé

es verbes en -**ger** conservent l'**e** après le **g** devant les voyelles **a** et **o** : *Nous jugeons, i jugeas*, pour maintenir partout le son du **g** doux. (Bien entendu, les verbes en -**guer** onservent le **u** à toutes les formes.)

INDICATIF

Présent		Passé composé	
e	man ge	j' ai	mangé
u	man ges	tu as	mangé
	man ge	il a	mangé
nous	man geons	n. avons	mangé
vous	man gez	v. avez	mangé
ils	man gent	ils ont	mangé

Imparfait		Plus-que-parfait	
e	man geais	j' avais	mangé
tu	man geais	tu avais	mangé
	man geait	il avait	mangé
nous	man gions	n. avions	mangé
vous	man giez	v. aviez	mangé
ils	man geaient	ils avaient	mangé

Passé simple		Passé antérieur	
e	man geai	j' eus	mangé
tu	man geas	tu eus	mangé
l	man gea	il eut	mangé
nous	man geâmes	n. eûmes	mangé
vous	man geâtes	v. eûtes	mangé
ils	man gèrent	ils eurent	mangé

Futur simple		Futur antérieur	
e	man gerai	j' aurai	mangé
tu	man geras	tu auras	mangé
l	man gera	il aura	mangé
nous	man gerons	n. aurons	mangé
vous	man gerez	v. aurez	mangé
ils	man geront	ils auront	mangé

SUBJONCTIF

Présent		Passé	
que je	man ge	que j'	aie	mangé
que tu	man ges	que tu aies	mangé
qu'il	man ge	qu'il ait	mangé
que n.	man gions	que n. ayons	mangé
que v.	man giez	que v. ayez	mangé
qu'ils	man gent	qu'ils aient	mangé

Imparfait		Plus-que-parfait	
que je	man geasse	que j' eusse	mangé
que tu	man geasses	que tu eusses	mangé
qu'il	man geât	qu'il eût	mangé
que n.	man geassions	que n. eussions mangé
que v.	man geassiez	que v. eussiez mangé
qu'ils	man geassent	qu'ils eussent mangé

IMPÉRATIF

Présent	Passé	
man ge	aie	mangé
man geons	ayons	mangé
man gez	ayez	mangé

CONDITIONNEL

Présent		Passé 1re forme	
je	man gerais	j' aurais	mangé
tu	man gerais	tu aurais	mangé
il	man gerait	il aurait	mangé
n.	man gerions	n. aurions	mangé
v.	man geriez	v. auriez	mangé
ils	man geraient	ils auraient	mangé

Passé 2e forme	
j' eusse	mangé
tu eusses	mangé
il eût	mangé
n. eussions	mangé
v. eussiez	mangé
ils eussent	mangé

INFINITIF

Présent	Passé
man ger	avoir mangé

PARTICIPE

Présent	Passé
man geant	man gé, ée
	ayant mangé

9 VERBES EN E(.)ER : PESER

Verbes ayant un **e muet** (e) à l'avant-dernière syllabe de l'infinitif

Verbes en **-ecer, -emer, -ener, -eper, -erer, -eser, -ever, -evrer.**
Ces verbes qui ont un **e** muet à l'avant-dernière syllabe de l'infinitif, comme **lever**, changent l'**e muet** en **è ouvert** devant une syllabe muette, y compris devant le terminaisons *erai..., erais...,* du futur et du conditionnel : *je lève, je lèverai.*
Nota. Pour les verbes en **-eler, -eter,** voir **11** et **12.**

INDICATIF

Présent		Passé composé		
je	p èse	j'	ai	pesé
tu	p èses	tu	as	pesé
il	p èse	il	a	pesé
nous	p esons	n.	avons	pesé
vous	p esez	v.	avez	pesé
ils	p èsent	ils	ont	pesé

Imparfait		Plus-que-parfait		
je	p esais	j'	avais	pesé
tu	p esais	tu	avais	pesé
il	p esait	il	avait	pesé
nous	p esions	n.	avions	pesé
vous	p esiez	v.	aviez	pesé
ils	p esaient	ils	avaient	pesé

Passé simple		Passé antérieur		
je	p esai	j'	eus	pesé
tu	p esas	tu	eus	pesé
il	p esa	il	eut	pesé
nous	p esâmes	n.	eûmes	pesé
vous	p esâtes	v.	eûtes	pesé
ils	p esèrent	ils	eurent	pesé

Futur simple		Futur antérieur		
je	p èserai	j'	aurai	pesé
tu	p èseras	tu	auras	pesé
il	p èsera	il	aura	pesé
nous	p èserons	n.	aurons	pesé
vous	p èserez	v.	aurez	pesé
ils	p èseront	ils	auront	pesé

SUBJONCTIF

Présent		Passé		
que je	p èse	que j'	aie	pesé
que tu	p èses	que tu	aies	pesé
qu'il	p èse	qu'il	ait	pesé
que n.	p esions	que n.	ayons	pesé
que v.	p esiez	que v.	ayez	pesé
qu'ils	p èsent	qu'ils	aient	pesé

Imparfait		Plus-que-parfait		
que je	p esasse	que j'	eusse	pesé
que tu	p esasses	que tu	eusses	pesé
qu'il	p esât	qu'il	eût	pesé
que n.	p esassions	que n.	eussions	pesé
que v.	p esassiez	que v.	eussiez	pesé
qu'ils	p esassent	qu'ils	eussent	pesé

IMPÉRATIF

Présent	Passé	
p èse	aie	pesé
p esons	ayons	pesé
p esez	ayez	pesé

CONDITIONNEL

Présent		Passé 1re forme		
je	p èserais	j'	aurais	pesé
tu	p èserais	tu	aurais	pesé
il	p èserait	il	aurait	pesé
n.	p èserions	n.	aurions	pesé
v.	p èseriez	v.	auriez	pesé
ils	p èseraient	ils	auraient	pesé

Passé 2e forme		
j'	eusse	pesé
tu	eusses	pesé
il	eût	pesé
n.	eussions	pesé
v.	eussiez	pesé
ils	eussent	pesé

INFINITIF

Présent	Passé
p eser	avoir pesé

PARTICIPE

Présent	Passé
p esant	p esé, ée
	ayant pesé

Verbes ayant un **é fermé** (é) à l'avant-dernière syllabe de l'infinitif

Verbes en : **-ébrer, -écer, -écher, -écrer, -éder, -égler, -égner, -égrer, -éguer, -éler, -émer, -éner, -éper, -équer, -érer, -éser, -éter, -étrer, -évrer, -éyer, etc.**
Ces verbes qui ont un **é** fermé à l'avant-dernière syllabe de l'infinitif changent l'**é fermé** en **è ouvert** devant une syllabe muette finale : *Je cède.*
Au futur et au conditionnel, ces verbes conservent l'**é fermé** : *Je céderai, tu céderais,* malgré la tendance à prononcer cet **é** de plus en plus ouvert.

INDICATIF

Présent		Passé composé		
je	c ède	j' ai	cédé	
tu	c èdes	tu as	cédé	
il	c ède	il a	cédé	
nous	c édons	n. avons	cédé	
vous	c édez	v. avez	cédé	
ils	c èdent	ils ont	cédé	

Imparfait		Plus-que-parfait		
je	c édais	j' avais	cédé	
tu	c édais	tu avais	cédé	
il	c édait	il avait	cédé	
nous	c édions	n. avions	cédé	
vous	c édiez	v. aviez	cédé	
ils	c édaient	ils avaient	cédé	

Passé simple		Passé antérieur		
je	c édai	j' eus	cédé	
tu	c édas	tu eus	cédé	
il	c éda	il eut	cédé	
nous	c édâmes	n. eûmes	cédé	
vous	c édâtes	v. eûtes	cédé	
ils	c édèrent	ils eurent	cédé	

Futur simple		Futur antérieur		
je	c éderai	j' aurai	cédé	
tu	c éderas	tu auras	cédé	
il	c édera	il aura	cédé	
nous	c éderons	n. aurons	cédé	
vous	c éderez	v. aurez	cédé	
ils	c éderont	ils auront	cédé	

SUBJONCTIF

Présent		Passé		
que je	c ède	que j' aie	cédé	
que tu	c èdes	que tu aies	cédé	
qu'il	c ède	qu'il ait	cédé	
que n.	c édions	que n. ayons	cédé	
que v.	c édiez	que v. ayez	cédé	
qu'ils	c èdent	qu'ils aient	cédé	

Imparfait		Plus-que-parfait		
que je	c édasse	que j' cusse	cédé	
que tu	c édasses	que tu eusses	cédé	
qu'il	c édât	qu'il eût	cédé	
que n.	c édassions	que n. eussions	cédé	
que v.	c édassiez	que v. eussiez	cédé	
qu'ils	c édassent	qu'ils eussent	cédé	

IMPÉRATIF

Présent	Passé	
c ède	aie	cédé
c édons	ayons	cédé
c édez	ayez	cédé

CONDITIONNEL

Présent		Passé 1re forme		
je	c éderais	j' aurais	cédé	
tu	c éderais	tu aurais	cédé	
il	c éderait	il aurait	cédé	
n.	c éderions	n. aurions	cédé	
v.	c éderiez	v. auriez	cédé	
ils	c éderaient	ils auraient	cédé	

Passé 2e forme		
j'	eusse	cédé
tu	eusses	cédé
il	eût	cédé
n.	eussions	cédé
v.	eussiez	cédé
ils	eussent	cédé

INFINITIF

Présent	Passé
c éder	avoir cédé

PARTICIPE

Présent	Passé
c édant	c édé, ée
	ayant cédé

Avérer signifiant *reconnaître pour vrai, vérifier,* ne s'emploie guère qu'à l'infinitif et au participe passé : *le fait est avéré.* La forme pronominale **s'avérer** se conjugue complètement mais on constate un glissement de sens de *se révéler vrai* à *se révéler* qui, en dépit des réticences des puristes, s'impose de plus en plus : *la résistance s'avéra inutile.*

11 VERBES EN -ELER ou -ETER : JETER

1. Verbes doublant l ou t devant e muet

En règle générale, les verbes en **-eler** ou en **-eter** doublent la consonne l ou t devant un **e muet** : *Je jette, j'appelle.*
Un petit nombre ne doublent pas devant l'**e muet** la consonne l ou t, mais prennent un accent grave sur le **e** qui précède le l ou le t : *J'achète, je modèle* (v. en tête de la page suivante la liste de ces exceptions).

INDICATIF

Présent		Passé composé	
je	j ette	j' ai	jeté
tu	j ettes	tu as	jeté
il	j ette	il a	jeté
nous	j etons	n. avons	jeté
vous	j etez	v. avez	jeté
ils	j ettent	ils ont	jeté

Imparfait		Plus-que-parfait	
je	j etais	j' avais	jeté
tu	j etais	tu avais	jeté
il	j etait	il avait	jeté
nous	j etions	n. avions	jeté
vous	j etiez	v. aviez	jeté
ils	j etaient	ils avaient	jeté

Passé simple		Passé antérieur	
je	j etai	j' eus	jeté
tu	j etas	tu eus	jeté
il	j eta	il eut	jeté
nous	j etâmes	n. eûmes	jeté
vous	j etâtes	v. eûtes	jeté
ils	j etèrent	ils eurent	jeté

Futur simple		Futur antérieur	
je	j etterai	j' aurai	jeté
tu	j etteras	tu auras	jeté
il	j ettera	il aura	jeté
nous	j etterons	n. aurons	jeté
vous	j etterez	v. aurez	jeté
ils	j etteront	ils auront	jeté

SUBJONCTIF

Présent		Passé	
que je	j ette	que j' aie	jeté
que tu	j ettes	que tu aies	jeté
qu'il	j ette	qu'il ait	jeté
que n.	j etions	que n. ayons	jeté
que v.	j etiez	que v. ayez	jeté
qu'ils	j ettent	qu'ils aient	jeté

Imparfait		Plus-que-parfait	
que je	j etasse	que j' eusse	jeté
que tu	j etasses	que tu eusses	jeté
qu'il	j etât	qu'il eût	jeté
que n.	j etassions	que n. eussions	jeté
que v.	j etassiez	que v. eussiez	jeté
qu'ils	j etassent	qu'ils eussent	jeté

IMPÉRATIF

Présent	Passé	
j ette	aie	jeté
j etons	ayons	jeté
j etez	ayez	jeté

CONDITIONNEL

Présent		Passé 1ʳᵉ forme	
je	j etterais	j' aurais	jeté
tu	j etterais	tu aurais	jeté
il	j etterait	il aurait	jeté
n.	j etterions	n. aurions	jeté
v.	j etteriez	v. auriez	jeté
ils	j etteraient	ils auraient	jeté

Passé 2ᵉ forme		
j'	eusse	jeté
tu	eusses	jeté
il	eût	jeté
n.	eussions	jeté
v.	eussiez	jeté
ils	eussent	jeté

INFINITIF

Présent	Passé
j eter	avoir jeté

PARTICIPE

Présent	Passé
j etant	j eté, ée
	ayant jeté

2. Verbes changeant e en è devant syllabe muette

Quelques verbes ne doublent pas l'l ou le t devant e muet :
1. Verbes en **-eler** se conjuguant comme **je modèle** : celer (déceler, receler), ciseler, démanteler, écarteler, s'encasteler, geler (dégeler, congeler, surgeler), marteler, modeler, peler.
2. Verbes en **-eter** se conjuguant comme **j'achète** : acheter (racheter), bégueter, corseter, crocheter, fileter, fureter, haleter.

INDICATIF

Présent

e	mod èle	
tu	mod èles	
il	mod èle	
nous	mod elons	
vous	mod elez	
ils	mod èlent	

Passé composé

j'	ai	modelé
tu	as	modelé
il	a	modelé
n.	avons	modelé
v.	avez	modelé
ils	ont	modelé

Imparfait

e	mod elais
tu	mod elais
il	mod elait
nous	mod elions
vous	mod eliez
ils	mod elaient

Plus-que-parfait

j'	avais	modelé
tu	avais	modelé
il	avait	modelé
n.	avions	modelé
v.	aviez	modelé
ils	avaient	modelé

Passé simple

je	mod elai
tu	mod elas
il	mod ela
nous	mod elâmes
vous	mod elâtes
ils	mod elèrent

Passé antérieur

j'	eus	modelé
tu	eus	modelé
il	eut	modelé
n.	eûmes	modelé
v.	eûtes	modelé
ils	eurent	modelé

Futur simple

je	mod èlerai
tu	mod èleras
il	mod èlera
nous	mod èlerons
vous	mod èlerez
ils	mod èleront

Futur antérieur

j'	aurai	modelé
tu	auras	modelé
il	aura	modelé
n.	aurons	modelé
v.	aurez	modelé
ils	auront	modelé

SUBJONCTIF

Présent

que je mod èle	
que tu mod èles	
qu'il mod èle	
que n. mod elions	
que v. mod eliez	
qu'ils mod èlent	

Passé

que j'	aie	modelé
que tu	aies	modelé
qu'il	ait	modelé
que n.	ayons	modelé
que v.	ayez	modelé
qu'ils	aient	modelé

Imparfait

que je mod elasse
que tu mod elasses
qu'il mod elât
que n. mod elassions
que v. mod elassiez
qu'ils mod elassent

Plus-que-parfait

que j'	eusse	modelé
que tu	eusses	modelé
qu'il	eût	modelé
que n.	eussions	modelé
que v.	eussiez	modelé
qu'ils	eussent	modelé

IMPÉRATIF

Présent

mod èle
mod elons
mod elez

Passé

aie	modelé
ayons	modelé
ayez	modelé

CONDITIONNEL

Présent

je mod èlerais
tu mod èlerais
il mod èlerait
n. mod èlerions
v. mod èleriez
ils mod èleraient

Passé 1re forme

j'	aurais modelé
tu	aurais modelé
il	aurait modelé
n.	aurions modelé
v.	auriez modelé
ils	auraient modelé

Passé 2e forme

j'	eusse modelé
tu	eusses modelé
il	eût modelé
n.	eussions modelé
v.	eussiez modelé
ils	eussent modelé

INFINITIF

Présent

mod eler

Passé

avoir modelé

PARTICIPE

Présent

mod elant

Passé

mod elé, ée
ayant modelé

Ces verbes n'offrent d'autre particularité que la présence très régulière de deux **é** à certaines personnes de l'indicatif présent, du passé simple, du futur, du conditionnel, de l'impératif, du subjonctif, au participe passé masculin, et celle de trois **é** au participe passé féminin : *créée*.
Dans les verbes en **-éer**, l'**é** reste toujours fermé : *Je crée, tu crées...*

INDICATIF

Présent		Passé composé		
je	cr ée	j'	ai	créé
tu	cr ées	tu as		créé
il	cr ée	il a		créé
nous	cr éons	n. avons		créé
vous	cr éez	v. avez		créé
ils	cr éent	ils ont		créé

Imparfait		Plus-que-parfait		
je	cr éais	j'	avais	créé
tu	cr éais	tu avais		créé
il	cr éait	il avait		créé
nous	cr éions	n. avions		créé
vous	cr éiez	v. aviez		créé
ils	cr éaient	ils avaient		créé

Passé simple		Passé antérieur		
je	cr éai	j'	eus	créé
tu	cr éas	tu eus		créé
il	cr éa	il eut		créé
nous	cr éâmes	n. eûmes		créé
vous	cr éâtes	v. eûtes		créé
ils	cr éèrent	ils eurent		créé

Futur simple		Futur antérieur		
je	cr éerai	j'	aurai	créé
tu	cr éeras	tu auras		créé
il	cr éera	il aura		créé
nous	cr éerons	n. aurons		créé
vous	cr éerez	v. aurez		créé
ils	cr éeront	ils auront		créé

SUBJONCTIF

Présent		Passé		
que je	cr ée	que j'	aie	créé
que tu	cr ées	que tu aies		créé
qu'il	cr ée	qu'il ait		créé
que n.	cr éions	que n. ayons		créé
que v.	cr éiez	que v. ayez		créé
qu'ils	cr éent	qu'ils aient		créé

Imparfait		Plus-que-parfait		
que je	cr éasse	que j'	eusse	créé
que tu	cr éasses	que tu eusses		créé
qu'il	cr éât	qu'il eût		créé
que n.	cr éassions	que n. eussions		créé
que v.	cr éassiez	que v. eussiez		créé
qu'ils	cr éassent	qu'ils eussent		créé

IMPÉRATIF

Présent	Passé	
cr ée	aie	créé
cr éons	ayons	créé
cr éez	ayez	créé

CONDITIONNEL

Présent		Passé 1re forme		
je	cr éerais	j'	aurais	créé
tu	cr éerais	tu	aurais	créé
il	cr éerait	il	aurait	créé
n.	cr éerions	n.	aurions	créé
v.	cr éeriez	v.	auriez	créé
ils	cr éeraient	ils	auraient	créé

Passé 2e forme		
j'	eusse	créé
tu	eusses	créé
il	eût	créé
n.	eussions	créé
v.	eussiez	créé
ils	eussent	créé

INFINITIF

Présent	Passé
cr éer	avoir créé

PARTICIPE

Présent	Passé
cr éant	cr éé, éée
	ayant créé

Noter la forme adjectivale du participe passé dans « bouche **bée** ».

Dans les verbes en -**éger** :
1. L'**é** du radical se change en **è** devant un **e muet** (sauf au futur et au conditionnel).
2. Pour conserver partout le son du **g doux**, on maintient l'**e** après le **g** devant les voyelles **a** et **o**.

INDICATIF

Présent		Passé composé	
j'	assi ège	j' ai	assiégé
tu	assi èges	tu as	assiégé
il	assi ège	il a	assiégé
nous	assi égeons	n. avons	assiégé
vous	assi égez	v. avez	assiégé
ils	assi ègent	ils ont	assiégé

Imparfait		Plus-que-parfait	
j'	assi égeais	j' avais	assiégé
tu	assi égeais	tu avais	assiégé
il	assi égeait	il avait	assiégé
nous	assi égions	n. avions	assiégé
vous	assi égiez	v. aviez	assiégé
ils	assi égeaient	ils avaient	assiégé

Passé simple		Passé antérieur	
j'	assi égeai	j' eus	assiégé
tu	assi égeas	tu eus	assiégé
il	assi égea	il eut	assiégé
nous	assi égeâmes	n. eûmes	assiégé
vous	assi égeâtes	v. eûtes	assiégé
ils	assi égèrent	ils eurent	assiégé

Futur simple		Futur antérieur	
j'	assi égerai	j' aurai	assiégé
tu	assi égeras	tu auras	assiégé
il	assi égera	il aura	assiégé
nous	assi égerons	n. aurons	assiégé
vous	assi égerez	v. aurez	assiégé
ils	assi égeront	ils auront	assiégé

SUBJONCTIF

Présent		Passé	
que j'	assi ège	que j' aie	assiégé
que tu	assi èges	que tu aies	assiégé
qu'il	assi ège	qu'il ait	assiégé
que n.	assi égions	que n. ayons	assiégé
que v.	assi égiez	que v. ayez	assiégé
qu'ils	assi ègent	qu'ils aient	assiégé

Imparfait		Plus-que-parfait	
que j'	assi égeasse	que j' eusse	assiégé
que tu	assi égeasses	que tu eusses	assiégé
qu'il	assi égeât	qu'il eût	assiégé
que n.	assi égeassions	que n. eussions assiégé	
que v.	assi égeassiez	que v. eussiez	assiégé
qu'ils	assi égeassent	qu'ils eussent	assiégé

IMPÉRATIF

Présent	Passé	
assi ège	aie	assiégé
assi égeons	ayons	assiégé
assi égez	ayez	assiégé

CONDITIONNEL

Présent		Passé 1re forme	
j'	assi égerais	j' aurais	assiégé
tu	assi égerais	tu aurais	assiégé.
il	assi égerait	il aurait	assiégé
n.	assi égerions	n. aurions	assiégé
v.	assi égeriez	v. auriez	assiégé
ils	assi égeraient	ils auraient	assiégé

Passé 2e forme		
j'	eusse	assiégé
tu	eusses	assiégé
il	eût	assiégé
n.	eussions	assiégé
v.	eussiez	assiégé
ils	eussent	assiégé

INFINITIF

Présent	Passé
assi éger	avoir assiégé

PARTICIPE

Présent	Passé
assi égeant	assi égé, ée
	ayant assiégé

15 VERBES EN -IER : APPRÉCIER

Ces verbes n'offrent d'autre particularité que les deux i à la 1re et à la 2e personne du pluriel de l'imparfait de l'indicatif et du présent du subjonctif : *appréciions, appréciiez*. Ces deux i proviennent de la rencontre de l'i final du radical qui se maintient dans toute la conjugaison, avec l'i initial de la terminaison.

INDICATIF

Présent		Passé composé	
j'	appréci e	j' ai	apprécié
tu	appréci es	tu as	apprécié
il	appréci e	il a	apprécié
nous	appréci ons	n. avons	apprécié
vous	appréci ez	v. avez	apprécié
ils	appréci ent	ils ont	apprécié

Imparfait		Plus-que-parfait	
j'	appréci ais	j' avais	apprécié
tu	appréci ais	tu avais	apprécié
il	appréci ait	il avait	apprécié
nous	appréci ions	n. avions	apprécié
vous	appréci iez	v. aviez	apprécié
ils	appréci aient	ils avaient	apprécié

Passé simple		Passé antérieur	
j'	appréci ai	j' eus	apprécié
tu	appréci as	tu eus	apprécié
il	appréci a	il eut	apprécié
nous	appréci âmes	n. eûmes	apprécié
vous	appréci âtes	v. eûtes	apprécié
ils	appréci èrent	ils eurent	apprécié

Futur simple		Futur antérieur	
j'	appréci erai	j' aurai	apprécié
tu	appréci eras	tu auras	apprécié
il	appréci era	il aura	apprécié
nous	appréci erons	n. aurons	apprécié
vous	appréci erez	v. aurez	apprécié
ils	appréci eront	ils auront	apprécié

SUBJONCTIF

Présent		Passé	
que j'	appréci e	que j' aie	apprécié
que tu	appréci es	que tu aies	apprécié
qu'il	appréci e	qu'il ait	apprécié
que n.	appréci ions	que n. ayons	apprécié
que v.	appréci iez	que v. ayez	apprécié
qu'ils	appréci ent	qu'ils aient	apprécié

Imparfait		Plus-que-parfait	
que j'	appréci asse	que j' eusse	apprécié
que tu	appréci asses	que tu eusses	apprécié
qu'il	appréci ât	qu'il eût	apprécié
que n.	appréci assions	que n. eussions	apprécié
que v.	appréci assiez	que v. eussiez	apprécié
qu'ils	appréci assent	qu'ils eussent	apprécié

IMPÉRATIF

Présent	Passé	
appréci e	aie	apprécié
appréci ons	ayons	apprécié
appréci ez	ayez	apprécié

CONDITIONNEL

Présent	Passé 1re forme	
j' appréci erais	j' aurais	apprécié
tu appréci erais	tu aurais	apprécié
il appréci erait	il aurait	apprécié
n. appréci erions	n. aurions	apprécié
v. appréci eriez	v. auriez	apprécié
ils appréci eraient	ils auraient	apprécié

Passé 2e forme	
j' eusse	apprécié
tu eusses	apprécié
il eût	apprécié
n. eussions	apprécié
v. eussiez	apprécié
ils eussent	apprécié

INFINITIF

Présent	Passé
appréci er	avoir apprécié

PARTICIPE

Présent	Passé
appréci ant	appréci é, ée
	ayant apprécié

Les verbes en -**ayer** peuvent : 1. conserver l'**y** dans toute la conjugaison; 2. remplacer l'**y** par un **i** devant un **e muet**, c'est-à-dire devant les terminaisons : **e, es, ent, erai, erais** : *je paye* (prononcer *pey*) ou *je paie* (prononcer *pé*).
Remarquer la présence de l'**i** après **y** aux deux premières personnes du pluriel à l'imparfait de l'indicatif et au présent du subjonctif.

INDICATIF

Présent

je	p aie
tu	p aies
il	p aie
nous	p ayons
vous	p ayez
ils	p aient

ou

je	p aye
tu	p ayes
il	p aye
nous	p ayons
vous	p ayez
ils	p ayent

Imparfait

je	p ayais
tu	p ayais
il	p ayait
nous	p ayions
vous	p ayiez
ils	p ayaient

Passé simple

je	p ayai
tu	p ayas
il	p aya
nous	p ayâmes
vous	p ayâtes
ils	p ayèrent

Futur simple

je	p aierai
tu	p aieras
il	p aiera
nous	p aierons
vous	p aierez
ils	p aieront

ou

je	p ayerai
tu	p ayeras
il	p ayera
nous	p ayerons
vous	p ayerez
ils	p ayeront

Passé composé

j'	ai	payé
tu	as	payé
il	a	payé
n.	avons	payé
v.	avez	payé
ils	ont	payé

Plus-que-parfait

j'	avais	payé
tu	avais	payé
il	avait	payé
n.	avions	payé
v.	aviez	payé
ils	avaient	payé

Passé antérieur

j'	eus	payé
tu	eus	payé
il	eut	payé
n.	eûmes	payé
v.	eûtes	payé
ils	eurent	payé

Futur antérieur

j'	aurai	payé
tu	auras	payé
il	aura	payé
n.	aurons	payé
v.	aurez	payé
ils	auront	payé

SUBJONCTIF

Présent

que je	p aie
que tu	p aies
qu'il	p aie
que n.	p ayions
que v.	p ayiez
qu'ils	p aient

ou

que je	p aye
que tu	p ayes
qu'il	p aye
que n.	p ayions
que v.	p ayiez
qu'ils	p ayent

Imparfait

que je	p ayasse
que tu	p ayasses
qu'il	p ayât
que n.	p ayassions
que v.	p ayassiez
qu'ils	p ayassent

Passé

que j'	aie	payé
que tu	aies	payé
qu'il	ait	payé
que n.	ayons	payé
que v.	ayez	payé
qu'ils	aient	payé

Plus-que-parfait

que j'	eusse	payé
que tu	eusses	payé
qu'il	eût	payé
que n.	eussions	payé
que v.	eussiez	payé
qu'ils	eussent	payé

IMPÉRATIF

Présent

p aye *ou* paie
p ayons
p ayez

Passé

aie	payé
ayons	payé
ayez	payé

INFINITIF

Présent : p ayer
Passé : avoir payé

PARTICIPE

Présent : p ayant

Passé
p ayé, ée
ayant payé

CONDITIONNEL

Présent

je	p aierais
tu	p aierais
il	p aierait
n.	p aierions
v.	p aieriez
ils	p aieraient

ou

je	p ayerais
tu	p ayerais
il	p ayerait
n.	p ayerions
v.	p ayeriez
ils	p ayeraient

Passé 1re forme

j'	aurais	payé
tu	aurais	payé
il	aurait	payé, etc.

Passé 2e forme

j'	eusse	payé
tu	eusses	payé
il	eût	payé, etc.

Les verbes en -**eyer** (grasseyer, langueyer, faseyer, capeyer) conservent l'y dans toute la conjugaison.
On ajoute au radical sur -ey- les terminaisons du verbe **aimer** (6)

17 VERBES EN -OYER ET -UYER : BROYER

Les verbes en **-oyer** et **-uyer** changent l'**y** du radical en **i** devant un **e muet** (terminaisons **e, es, ent, erai, erais**). *Exception :* **envoyer** et **renvoyer**, qui sont irréguliers au futur et au conditionnel (v. page suivante).
Remarquer la présence de l'**i** après y aux deux premières personnes du pluriel à l'imparfait de l'indicatif et au présent du subjonctif.

INDICATIF

Présent		Passé composé			Présent		Passé		
je	br oie	j' ai	broyé		que je br oie		que j' aie	broyé	
tu	br oies	tu as	broyé		que tu br oies		que tu aies	broyé	
il	br oie	il a	broyé		qu'il br oie		qu'il ait	broyé	
nous	br oyons	n. avons	broyé		que n. br oyions		que n. ayons	broyé	
vous	br oyez	v. avez	broyé		que v. br oyiez		que v. ayez	broyé	
ils	br oient	ils ont	broyé		qu'ils br oient		qu'ils aient	broyé	

SUBJONCTIF

Imparfait		Plus-que-parfait			Imparfait		Plus-que-parfait		
je	br oyais	j' avais	broyé		que je br oyasse		que j' eusse	broyé	
tu	br oyais	tu avais	broyé		que tu br oyasses		que tu eusses	broyé	
il	br oyait	il avait	broyé		qu'il br oyât		qu'il eût	broyé	
nous	br oyions	n. avions	broyé		que n. br oyassions		que n. eussions	broyé	
vous	br oyiez	v. aviez	broyé		que v. br oyassiez		que v. eussiez	broyé	
ils	br oyaient	ils avaient	broyé		qu'ils br oyassent		qu'ils eussent	broyé	

Passé simple		Passé antérieur		
je	br oyai	j' eus	broyé	
tu	br oyas	tu eus	broyé	
il	br oya	il eut	broyé	
nous	br oyâmes	n. eûmes	broyé	
vous	br oyâtes	v. eûtes	broyé	
ils	br oyèrent	ils eurent	broyé	

IMPÉRATIF

Présent	Passé	
br oie	aie	broyé
br oyons	ayons	broyé
br oyez	ayez	broyé

Futur simple		Futur antérieur		
je	br oierai	j' aurai	broyé	
tu	br oieras	tu auras	broyé	
il	br oiera	il aura	broyé	
nous	br oierons	n. aurons	broyé	
vous	br oierez	v. aurez	broyé	
ils	br oieront	ils auront	broyé	

CONDITIONNEL

Présent		Passé 1re forme		
je	br oierais	j'	aurais	broyé
tu	br oierais	tu	aurais	broyé
il	br oierait	il	aurait	broyé
n.	br oierions	n.	aurions	broyé
v.	br oieriez	v.	auriez	broyé
ils	br oieraient	ils	auraient	broyé

Passé 2e forme		
j'	eusse	broyé
tu	eusses	broyé
il	eût	broyé
n.	eussions	broyé
v.	eussiez	broyé
ils	eussent	broyé

INFINITIF

Présent	Passé
br oyer	avoir broyé

PARTICIPE

Présent	Passé
br oyant	br oyé, ée
	ayant broyé

INDICATIF

Présent	Passé composé
j' envoie	j' ai envoyé
tu envoies	tu as envoyé
il envoie	il a envoyé
nous envoyons	n. avons envoyé
vous envoyez	v. avez envoyé
ils envoient	ils ont envoyé

Imparfait	Plus-que-parfait
j' envoyais	j' avais envoyé
tu envoyais	tu avais envoyé
il envoyait	il avait envoyé
nous envoyions	n. avions envoyé
vous envoyiez	v. aviez envoyé
ils envoyaient	ils avaient envoyé

Passé simple	Passé antérieur
j' envoyai	j' eus envoyé
tu envoyas	tu eus envoyé
il envoya	il eut envoyé
nous envoyâmes	n. eûmes envoyé
vous onvoyâtes	v. eûtes envoyé
ils envoyèrent	ils eurent envoyé

Futur simple	Futur antérieur
j' enverrai	j' aurai envoyé
tu enverras	tu auras envoyé
il enverra	il aura envoyé
nous enverrons	n. aurons envoyé
vous enverrez	v. aurez envoyé
ils enverront	ils auront envoyé

SUBJONCTIF

Présent	Passé
que j' envoie	que j' aie envoyé
que tu envoies	que tu aies envoyé
qu'il envoie	qu'il ait envoyé
que n. envoyions	que n. ayons envoyé
que v. envoyiez	que v. ayez envoyé
qu'ils envoient	qu'ils aient envoyé

Imparfait	Plus-que-parfait
que j' envoyasse	que j' eusse envoyé
que tu envoyasses	que tu eusses envoyé
qu'il envoyât	qu'il eût envoyé
que n. envoyassions	que n. eussions envoyé
que v. envoyassiez	que v. eussiez envoyé
qu'ils envoyassent	qu'ils eussent envoyé

IMPÉRATIF

Présent	Passé
envoie	aie envoyé
envoyons	ayons envoyé
envoyez	ayez envoyé

CONDITIONNEL

Présent	Passé 1ʳᵉ forme
j' enverrais	j' aurais envoyé
tu enverrais	tu aurais envoyé
il enverrait	il aurait envoyé
n. enverrions	n. aurions envoyé
v. enverriez	v. auriez envoyé
ils enverraient	ils auraient envoyé

	Passé 2ᵉ forme
	j' eusse envoyé
	tu eusses envoyé
	il eût envoyé
	n. eussions envoyé
	v. eussiez envoyé
	ils eussent envoyé

INFINITIF

Présent	Passé
envoyer	avoir envoyé

PARTICIPE

Présent	Passé
envoyant	envoyé, ée
	ayant envoyé

Ainsi se conjugue **renvoyer.**

19 DEUXIÈME GROUPE

VERBES EN -IR/ISSANT : FINIR
Infinitif présent en -ir; participe présent en -issant[1]

INDICATIF

Présent			Passé composé		
je	fin	is	j'	ai	fini
tu	fin	is	tu	as	fini
il	fin	it	il	a	fini
nous	fin	issons	n.	avons	fini
vous	fin	issez	v.	avez	fini
ils	fin	issent	ils	ont	fini

Imparfait			Plus-que-parfait		
je	fin	issais	j'	avais	fini
tu	fin	issais	tu	avais	fini
il	fin	issait	il	avait	fini
nous	fin	issions	n.	avions	fini
vous	fin	issiez	v.	aviez	fini
ils	fin	issaient	ils	avaient	fini

Passé simple			Passé antérieur		
je	fin	is	j'	eus	fini
tu	fin	is	tu	eus	fini
il	fin	it	il	eut	fini
nous	fin	îmes	n.	eûmes	fini
vous	fin	îtes	v.	eûtes	fini
ils	fin	irent	ils	eurent	fini

Futur simple			Futur antérieur		
je	fin	irai	j'	aurai	fini
tu	fin	iras	tu	auras	fini
il	fin	ira	il	aura	fini
nous	fin	irons	n.	aurons	fini
vous	fin	irez	v.	aurez	fini
ils	fin	iront	ils	auront	fini

SUBJONCTIF

Présent			Passé		
que je	fin	isse	que j'	aie	fini
que tu	fin	isses	que tu	aies	fini
qu'il	fin	isse	qu'il	ait	fini
que n.	fin	issions	que n.	ayons	fini
que v.	fin	issiez	que v.	ayez	fini
qu'ils	fin	issent	qu'ils	aient	fini

Imparfait			Plus-que-parfait		
que je	fin	isse	que j'	eusse	fini
que tu	fin	isses	que tu	eusses	fini
qu'il	fin	ît	qu'il	eût	fini
que n.	fin	issions	que n.	eussions	fini
que v.	fin	issiez	que v.	eussiez	fini
qu'ils	fin	issent	qu'ils	eussent	fini

IMPÉRATIF

Présent	Passé	
fin is	aie	fini
fin issons	ayons	fini
fin issez	ayez	fini

CONDITIONNEL

Présent		Passé 1re forme		
je	fin irais	j'	aurais	fini
tu	fin irais	tu	aurais	fini
il	fin irait	il	aurait	fini
n.	fin irions	n.	aurions	fini
v.	fin iriez	v.	auriez	fini
ils	fin iraient	ils	auraient	fini

Passé 2e forme		
j'	eusse	fini
tu	eusses	fini
il	eût	fini
n.	eussions	fini
v.	eussiez	fini
ils	eussent	fini

INFINITIF

Présent	Passé
fin ir	avoir fini

PARTICIPE

Présent	Passé
fin issant	fin i, ie
	ayant fini

Ainsi se conjuguent environ 300 verbes en -ir, -issant, qui, avec les verbes en -er, forment la ...aison vivante.

...es obéir et désobéir (intransitifs à l'actif) ont gardé, d'une ancienne construction transi-... ...assif : « sera-t-elle obéie? »

Haïr est le seul verbe de cette terminaison; il prend un tréma sur l'**i** dans toute sa conjugaison, excepté aux trois personnes du singulier du présent de l'indicatif, et à la deuxième personne du singulier de l'impératif. Le tréma exclut l'accent circonflexe au passé simple et au subjonctif imparfait.

INDICATIF

Présent		Passé composé	
je	hais	j' ai	haï
tu	hais	tu as	haï
il	hait	il a	haï
nous	haïssons	n. avons	haï
vous	haïssez	v. avez	haï
ils	haïssent	ils ont	haï

Imparfait		Plus-que-parfait	
je	haïssais	j' avais	haï
tu	haïssais	tu avais	haï
il	haïssait	il avait	haï
nous	haïssions	n. avions	haï
vous	haïssiez	v. aviez	haï
ils	haïssaient	ils avaient	haï

Passé simple		Passé antérieur	
je	haïs	j' eus	haï
tu	haïs	tu eus	haï
il	haït	il eut	haï
nous	haïmes	n. eûmes	haï
vous	haïtes	v. eûtes	haï
ils	haïrent	ils eurent	haï

Futur simple		Futur antérieur	
je	haïrai	j' aurai	haï
tu	haïras	tu auras	haï
il	haïra	il aura	haï
nous	haïrons	n. aurons	haï
vous	haïrez	v. aurez	haï
ils	haïront	ils auront	haï

SUBJONCTIF

Présent		Passé		
que je	haïsse	que j'	aie	haï
que tu	haïsses	que tu	aies	haï
qu'il	haïsse	qu'il	ait	haï
que n.	haïssions	que n.	ayons	haï
que v.	haïssiez	que v.	ayez	haï
qu'ils	haïssent	qu'ils	aient	haï

Imparfait		Plus-que-parfait		
que je	haïsse	que j'	eusse	haï
que tu	haïsses	que tu	eusses	haï
qu'il	haït	qu'il	eût	haï
que n.	haïssions	que n.	eussions	haï
que v.	haïssiez	que v.	eussiez	haï
qu'ils	haïssent	qu'ils	eussent	haï

IMPÉRATIF

Présent	Passé	
hais	aie	haï
haïssons	ayons	haï
haïssez	ayez	haï

CONDITIONNEL

Présent		Passé 1re forme		
je	haïrais	j'	aurais	haï
tu	haïrais	tu	aurais	haï
il	haïrait	il	aurait	haï
n.	haïrions	n.	aurions	haï
v.	haïriez	v.	auriez	haï
ils	haïraient	ils	auraient	haï

Passé 2e forme		
j'	eusse	haï
tu	eusses	haï
il	eût	haï
n.	eussions	haï
v.	eussiez	haï
ils	eussent	haï

INFINITIF

Présent	Passé
haïr	avoir haï

PARTICIPE

Présent	Passé
haïssant	haï, ïe
	ayant haï

21 TROISIÈME GROUPE

Le 3ᵉ groupe comprend :

1. Le verbe **aller** (tableau 22).

2. Les verbes en -ir qui ont le participe présent en -ant, et non en -issant (tableaux 23 à 37).

3. Tous les verbes en -oir (tableaux 38 à 52).

4. Tous les verbes en -re (tableaux 53 à 82).

Les soixante tableaux suivants permettent de conjuguer les quelque trois cent cinquante verbes du 3ᵉ groupe dont la liste est donnée pages 98 et 99; ils y sont classés par terminaisons et par référence au verbe type dont ils épousent les particularités de conjugaison. Ainsi se trouve exactement circonscrite cette conjugaison morte qui par sa complexité et ses singularités constitue la difficulté majeure du système verbal français.

Trois traits généraux peuvent cependant en être dégagés.

1. Le passé simple, dans le 3ᵉ groupe, est tantôt en *is* : *je fis, je dormis,* tantôt en *us* : *je valus; tenir* et *venir* font : *je tins, je vins.*

2. Le participe passé est tantôt en *i* : *dormi, senti, servi,* tantôt en *u* : *valu, tenu, venu,* etc. Dans un certain nombre de verbes appartenant à ce groupe, le participe passé n'a pas à proprement parler de terminaison et n'est qu'une modification du radical : *né, pris, fait, dit,* etc.

3. Au présent de l'indicatif, de l'impératif, du subjonctif on observe parfois une alternance vocalique qui oppose aux autres personnes les 1ʳᵉ et 2ᵉ personnes du pluriel : *nous te*nons, *vous te*nez, alternant avec *je* tiens, *tu* tiens, *il* tient, *ils* tiennent. Cette modification du radical s'explique par le fait qu'en latin l'accent tonique frappait tantôt le radical (*ám-o* : radical fort) tantôt la terminaison (*am-ámus* : radical faible). Comme les syllabes ont évolué différemment selon qu'elles étaient accentuées ou atones, tous les verbes français devraient présenter une alternance de ce type. Mais l'analogie a généralisé tantôt le radical fort (*j'aime, nous aimons* au lieu de *nous amons*) plus rarement le radical faible (*nous trouvons, je trouve* au lieu de *je treuve*). Cependant d'assez nombreux verbes ont gardé trace de cette alternance tonique, rarement au 1ᵉʳ groupe : *je sème, nous semons,* plus fréquemment au 3ᵉ : voir entre autres : *j'acquiers/nous acquérons, je reçois/nous recevons, je meurs/nous mourons, je bois/nous buvons, je fais/nous faisons* (prononcé *fe*). Il n'est pour s'en rendre compte que de parcourir les tableaux suivants où les premières personnes du singulier et du pluriel, notées en rouge, soulignent cette particularité.

INDICATIF

Présent		Passé composé	
je	vais	je suis	allé
tu	vas	tu es	allé
il	va	il est	allé
nous	allons	n. sommes	allés
vous	allez	v. êtes	allés
ils	vont	ils sont	allés

Imparfait		Plus-que-parfait	
j'	allais	j' étais	allé
tu	allais	tu étais	allé
il	allait	il était	allé
nous	allions	n. étions	allés
vous	alliez	v. étiez	allés
ils	allaient	ils étaient	allés

Passé simple		Passé antérieur	
j'	allai	je fus	allé
tu	allas	tu fus	allé
il	alla	il fut	allé
nous	allâmes	n. fûmes	allés
vous	allâtes	v. fûtes	allés
ils	allèrent	ils furent	allés

Futur simple		Futur antérieur	
j'	irai	je serai	allé
tu	iras	tu seras	allé
il	ira	il sera	allé
nous	irons	n. serons	allés
vous	irez	v. serez	allés
ils	iront	ils seront	allés

SUBJONCTIF

Présent	Passé	
que j' aille	que je sois	allé
que tu ailles	que tu sois	allé
qu'il aille	qu'il soit	allé
que n. allions	que n. soyons	allés
que v. alliez	que v. soyez	allés
qu'ils aillent	qu'ils soient	allés

Imparfait	Plus-que-parfait	
que j' allasse	que je fusse	allé
que tu allasses	que tu fusses	allé
qu'il allât	qu'il fût	allé
que n. allassions	que n. fussions	allés
que v. allassiez	que v. fussiez	allés
qu'ils allassent	qu'ils fussent	allés

IMPÉRATIF

Présent	Passé	
va	sois	allé
allons	soyons	allés
allez	soyez	allés

CONDITIONNEL

Présent		Passé 1re forme	
j'	irais	je	serais	allé
tu	irais	tu	serais	allé
il	irait	il	serait	allé
n.	irions	n.	serions	allés
v.	iriez	v.	seriez	allés
ils	iraient	ils	seraient	allés

Passé 2e forme

je	fusse	allé
tu	fusses	allé
il	fût	allé
n.	fussions	allés
v.	fussiez	allés
ils	fussent	allés

INFINITIF

Présent	Passé
aller	être allé

PARTICIPE

Présent	Passé
allant	allé, ée
	étant allé

Le verbe **aller** se conjugue sur trois radicaux distincts : le radical **va** (*je vais, tu vas, il va*, impératif : *va*); le radical **-ir** au futur et au conditionnel : *j'irai, j'irais*; ailleurs le radical de l'infinitif **all-**. A l'impératif, devant le pronom adverbial **y** non suivi d'un infinitif, **va** prend un **s** : *vas-y*, mais *v y mettre bon ordre*. A la forme interrogative on écrit *va-t-il?* comme *aima-t-il?*

S'en aller se conjugue comme **aller**. Aux temps composés on met l'auxiliaire **être** entre *en* et *al je m'en suis allé* et non *je me suis en allé* L'impératif est : *va-t'en* (avec élision de l'*e* du pronom réfl *te*), *allons-nous-en, allez-vous-en*.

INDICATIF

Présent	Passé composé	
je t iens	j' ai	tenu
tu t iens	tu as	tenu
il t ient	il a	tenu
nous t enons	n. avons	tenu
vous t enez	v. avez	tenu
ils t iennent	ils ont	tenu

Imparfait	Plus-que-parfait	
je t enais	j' avais	tenu
tu t enais	tu avais	tenu
il t enait	il avait	tenu
nous t enions	n. avions	tenu
vous t eniez	v. aviez	tenu
ils t enaient	ils avaient	tenu

Passé simple	Passé antérieur	
je t ins	j' eus	tenu
tu t ins	tu eus	tenu
il t int	il eut	tenu
nous t înmes	n. eûmes	tenu
vous t întes	v. eûtes	tenu
ils t inrent	ils eurent	tenu

Futur simple	Futur antérieur	
je t iendrai	j' aurai	tenu
tu t iendras	tu auras	tenu
il t iendra	il aura	tenu
nous t iendrons	n. aurons	tenu
vous t iendrez	v. aurez	tenu
ils t iendront	ils auront	tenu

SUBJONCTIF

Présent	Passé	
que je t ienne	que j' aie	tenu
que tu t iennes	que tu aies	tenu
qu'il t ienne	qu'il ait	tenu
que n. t enions	que n. ayons	tenu
que v. t eniez	que v. ayez	tenu
qu'ils t iennent	qu'ils aient	tenu

Imparfait	Plus-que-parfait	
que je t insse	que j' eusse	tenu
que tu t insses	que tu eusses	tenu
qu'il t înt	qu'il eût	tenu
que n. t inssions	que n. eussions tenu
que v. t inssiez	que v. eussiez	tenu
qu'ils t inssent	qu'ils eussent	tenu

IMPÉRATIF

Présent	Passé	
t iens	aie	tenu
t enons	ayons	tenu
t enez	ayez	tenu

CONDITIONNEL

Présent	Passé 1re forme	
je t iendrais	j' aurais	tenu
tu t iendrais	tu aurais	tenu
il t iendrait	il aurait	tenu
n. t iendrions	n. aurions	tenu
v. t iendriez	v. auriez	tenu
ils t iendraient	ils auraient tenu

Passé 2e forme	
j' eusse	tenu
tu eusses	tenu
il eût	tenu
n. eussions tenu
v. eussiez	tenu
ils eussent	tenu

INFINITIF

Présent	Passé
t enir	avoir tenu

PARTICIPE

Présent	Passé
t enant	t enu, ue
	ayant tenu

Ainsi se conjuguent **tenir**, **venir** et leurs composés (page 98). **Venir** et ses composés prennent l'auxiliaire **être**, sauf *circonvenir*, *prévenir*, *subvenir*.

Advenir n'est employé qu'à la 3e personne du singulier et du pluriel; les temps composés se forment
avec l'auxiliaire **être** : *il est advenu*.

De **prévenir** ne subsistent que le nom et l'adjectif (*avenant*).

INDICATIF

Présent		Passé composé	
j'	acqu iers	j' ai	acquis
tu	acqu iers	tu as	acquis
il	acqu iert	il a	acquis
nous	acqu érons	n. avons	acquis
vous	acqu érez	v. avez	acquis
ils	acqu ièrent	ils ont	acquis

Imparfait		Plus-que-parfait	
j'	acqu érais	j' avais	acquis
tu	acqu érais	tu avais	acquis
il	acqu érait	il avait	acquis
nous	acqu érions	n. avions	acquis
vous	acqu ériez	v. aviez	acquis
ils	acqu éraient	ils avaient	acquis

Passé simple		Passé antérieur	
j'	acqu is	j' eus	acquis
tu	acqu is	tu eus	acquis
il	acqu it	il eut	acquis
nous	acqu îmes	n. eûmes	acquis
vous	acqu îtes	v. eûtes	acquis
ils	acqu irent	ils eurent	acquis

Futur simple		Futur antérieur	
j'	acqu errai	j' aurai	acquis
tu	acqu erras	tu auras	acquis
il	acqu erra	il aura	acquis
nous	acqu errons	n. aurons	acquis
vous	acqu errez	v. aurez	acquis
ils	acqu erront	ils auront	acquis

SUBJONCTIF

Présent		Passé	
que j'	acqu ière	que j' aie	acquis
que tu	acqu ières	que tu aies	acquis
qu'il	acqu ière	qu'il ait	acquis
que n.	acqu érions	que n. ayons	acquis
que v.	acqu ériez	que v. ayez	acquis
qu'ils	acqu ièrent	qu'ils aient	acquis

Imparfait		Plus-que-parfait	
que j'	acqu isse	que j' eusse	acquis
que tu	acqu isses	que tu eusses	acquis
qu'il	acqu ît	qu'il eût	acquis
que n.	acqu issions	que n. eussions	acquis
que v.	acqu issiez	que v. eussiez	acquis
qu'ils	acqu issent	qu'ils eussent	acquis

IMPÉRATIF

Présent	Passé	
acqu iers	aie	acquis
acqu érons	ayons	acquis
acqu érez	ayez	acquis

CONDITIONNEL

Présent		Passé 1re forme	
j'	acqu errais	j' aurais	acquis
tu	acqu errais	tu aurais	acquis
il	acqu errait	il aurait	acquis
n.	acqu errions	n. aurions	acquis
v.	acqu erriez	v. auriez	acquis
ils	acqu erraient	ils auraient	acquis

Passé 2e forme	
j' eusse	acquis
tu eusses	acquis
il eût	acquis
n. eussions	acquis
v. eussiez	acquis
ils eussent	acquis

INFINITIF

Présent	Passé
acqu érir	avoir acquis

PARTICIPE

Présent	Passé
acqu érant	acqu is, ise
	ayant acquis

Ainsi se conjuguent les composés de **quérir** (page 98).
Acquérir. Ne pas confondre le participe substantivé **acquis** *(avoir de l'acquis)* avec le substantif verbal
acquit de **acquitter** *(par acquit, pour acquit).*
Noter la subsistance d'une forme ancienne dans la locution « à enquerre » ($\simeq$ infinitif).

INDICATIF

Présent		Passé composé	
je	sen s	j' ai	senti
tu	sen s	tu as	senti
il	sen t	il a	senti
nous	sen tons	n. avons	senti
vous	sen tez	v. avez	senti
ils	sen tent	ils ont	senti

Imparfait		Plus-que-parfait	
je	sen tais	j' avais	senti
tu	sen tais	tu avais	senti
il	sen tait	il avait	senti
nous	sen tions	n. avions	senti
vous	sen tiez	v. aviez	senti
ils	sen taient	ils avaient	senti

Passé simple		Passé antérieur	
je	sen tis	j' eus	senti
tu	sen tis	tu eus	senti
il	sen tit	il eut	senti
nous	sen tîmes	n. eûmes	senti
vous	sen tîtes	v. eûtes	senti
ils	sen tirent	ils eurent	senti

Futur simple		Futur antérieur	
je	sen tirai	j' aurai	senti
tu	sen tiras	tu auras	senti
il	sen tira	il aura	senti
nous	sen tirons	n. aurons	senti
vous	sen tirez	v. aurez	senti
ils	sen tiront	ils auront	senti

SUBJONCTIF

Présent		Passé	
que je	sen te	que j'	aie	senti
que tu	sen tes	que tu	aies	senti
qu'il	sen te	qu'il	ait	senti
que n.	sen tions	que n.	ayons	senti
que v.	sen tiez	que v.	ayez	senti
qu'ils	sen tent	qu'ils	aient	senti

Imparfait		Plus-que-parfait	
que je	sen tisse	que j'	eusse	senti
que tu	sen tisses	que tu	eusses	senti
qu'il	sen tît	qu'il	eût	senti
que n.	sen tissions	que n.	eussions	senti
que v.	sen tissiez	que v.	eussiez	senti
qu'ils	sen tissent	qu'ils	eussent	senti

IMPÉRATIF

Présent	Passé	
sen s	aie	senti
sen tons	ayons	senti
sen tez	ayez	senti

CONDITIONNEL

Présent		Passé 1ʳᵉ forme	
je	sen tirais	j'	aurais	senti
tu	sen tirais	tu	aurais	senti
il	sen tirait	il	aurait	senti
n.	sen tirions	n.	aurions	senti
v.	sen tiriez	v.	auriez	senti
ils	sen tiraient	ils	auraient	senti

Passé 2ᵉ forme		
j'	eusse	senti
tu	eusses	senti
il	eût	senti
n.	eussions	senti
v.	eussiez	senti
ils	eussent	senti

INFINITIF

Présent	Passé
sen tir	avoir senti

PARTICIPE

Présent	Passé
sen tant	sen ti, ie
	ayant senti

Ainsi se conjuguent **mentir, sentir, partir, se repentir, sortir** et leurs composés (page 98). Le participe passé *menti* est invariable mais *démenti, ie* s'accorde.

Départir employé d'ordinaire à la forme pronominale **se départir** se conjugue normalement comme **partir**, i : *je me dépars..., je me départais..., se départant.* On peut regretter que de bons auteurs, sous l'influence sans doute de **répartir,** écrivent : *il se départissait, se départissant* et même, au présent de l'indicatif, *il se départit.*

INDICATIF

Présent		Passé composé	
je	vêts	j' ai	vêtu
tu	vêts	tu as	vêtu
il	vêt	il a	vêtu
nous	vêtons	n. avons	vêtu
vous	vêtez	v. avez	vêtu
ils	vêtent	ils ont	vêtu

Imparfait		Plus-que-parfait	
je	vêtais	j' avais	vêtu
tu	vêtais	tu avais	vêtu
il	vêtait	il avait	vêtu
nous	vêtions	n. avions	vêtu
vous	vêtiez	v. aviez	vêtu
ils	vêtaient	ils avaient	vêtu

Passé simple		Passé antérieur	
je	vêtis	j' eus	vêtu
tu	vêtis	tu eus	vêtu
il	vêtit	il eut	vêtu
nous	vêtîmes	n. eûmes	vêtu
vous	vêtîtes	v. eûtes	vêtu
ils	vêtirent	ils eurent	vêtu

Futur simple		Futur antérieur	
je	vêtirai	j' aurai	vêtu
tu	vêtiras	tu auras	vêtu
il	vêtira	il aura	vêtu
nous	vêtirons	n. aurons	vêtu
vous	vêtirez	v. aurez	vêtu
ils	vêtiront	ils auront	vêtu

INFINITIF

Présent	Passé
vêtir	avoir vêtu

SUBJONCTIF

Présent		Passé	
que je	vête	que j' aie	vêtu
que tu	vêtes	que tu aies	vêtu
qu'il	vête	qu'il ait	vêtu
que n.	vêtions	que n. ayons	vêtu
que v.	vêtiez	que v. ayez	vêtu
qu'ils	vêtent	qu'ils aient	vêtu

Imparfait		Plus-que-parfait	
que je	vêtisse	que j' eusse	vêtu
que tu	vêtisses	que tu eusses	vêtu
qu'il	vêtît	qu'il eût	vêtu
que n.	vêtissions	que n. eussions	vêtu
que v.	vêtissiez	que v. eussiez	vêtu
qu'ils	vêtissent	qu'ils eussent	vêtu

IMPÉRATIF

Présent	Passé	
vêts	aie	vêtu
vêtons	ayons	vêtu
vêtez	ayez	vêtu

CONDITIONNEL

Présent		Passé 1re forme	
je	vêtirais	j' aurais	vêtu
tu	vêtirais	tu aurais	vêtu
il	vêtirait	il aurait	vêtu
n.	vêtirions	n. aurions	vêtu
v.	vêtiriez	v. auriez	vêtu
ils	vêtiraient	ils auraient	vêtu

Passé 2e forme		
j'	eusse	vêtu
tu	eusses	vêtu
il	eût	vêtu
n.	eussions	vêtu
v.	eussiez	vêtu
ils	eussent	vêtu

PARTICIPE

Présent	Passé
vêtant	vêtu, ue
	ayant vêtu

Ainsi se conjuguent **dévêtir** et **revêtir**.

Le singulier du présent de l'indicatif et de l'impératif de *vêtir* est peu usité car un grand nombre d'écrivains conjuguent curieusement ce verbe sur **finir** : *Dieu leur a refusé le cocotier qui ombrage. loge,* **vêtit**, *nourrit et abreuve les enfants de Brahma* (VOLTAIRE). *Les sauvages vivaient et* **se vêtissaient** *du produit de leurs chasses* (CHATEAUBRIAND). *Comme un fils de Morven,* **me vêtissant** *d'orages...* (LAMARTINE). Ce serait faire preuve d'un rigorisme excessif que de ne pas accueillir des formes aussi autorisées à côté des formes un peu sourdes : *vêt, vêtent,* etc. Cependant dans les composés, les formes primitives sont seules admises : *il revêt, il revêtait, revêtant.*

27 VERBES EN -VRIR OU -FRIR : COUVRIR

INDICATIF

Présent		Passé composé		
je	couvr e	j'	ai	couvert
tu	couvr es	tu	as	couvert
il	couvr e	il	a	couvert
nous	couvr ons	n.	avons	couvert
vous	couvr ez	v.	avez	couvert
ils	couvr ent	ils	ont	couvert

Imparfait		Plus-que-parfait		
je	couvr ais	j'	avais	couvert
tu	couvr ais	tu	avais	couvert
il	couvr ait	il	avait	couvert
nous	couvr ions	n.	avions	couvert
vous	couvr iez	v.	aviez	couvert
ils	couvr aient	ils	avaient	couvert

Passé simple		Passé antérieur		
je	couvr is	j'	eus	couvert
tu	couvr is	tu	eus	couvert
il	couvr it	il	eut	couvert
nous	couvr îmes	n.	eûmes	couvert
cous	couvr îtes	v.	eûtes	couvert
ils	couvr irent	ils	eurent	couvert

Futur simple		Futur antérieur		
je	couvr irai	j'	aurai	couvert
tu	couvr iras	tu	auras	couvert
il	couvr ira	il	aura	couvert
nous	couvr irons	n.	aurons	couvert
vous	couvr irez	v.	aurez	couvert
ils	couvr iront	ils	auront	couvert

SUBJONCTIF

Présent		Passé		
que je couvr e		que j'	aie	couvert
que tu couvr es		que tu	aies	couvert
qu'il couvr e		qu'il	ait	couvert
que n. couvr ions		que n.	ayons	couvert
que v. couvr iez		que v.	ayez	couvert
qu'ils couvr ent		qu'ils	aient	couvert

Imparfait		Plus-que-parfait		
que je couvr isse		que j'	eusse	couvert
que tu couvr isses		que tu	eusses	couvert
qu'il couvr ît		qu'il	eût	couvert
que n. couvr issions		que n.	eussions	couvert
que v. couvr issiez		que v.	eussiez	couvert
qu'ils couvr issent		qu'ils	eussent	couvert

IMPÉRATIF

Présent	Passé	
couvr e	aie	couvert
couvr ons	ayons	couvert
couvr ez	ayez	couvert

CONDITIONNEL

Présent	Passé 1re forme		
je couvr irais	j'	aurais	couvert
tu couvr irais	tu	aurais	couvert
il couvr irait	il	aurait	couvert
n. couvr irions	n.	aurions	couvert
v. couvr iriez	v.	auriez	couvert
ils couvr iraient	ils	auraient	couvert

Passé 2e forme		
j'	eusse	couvert
tu	eusses	couvert
il	eût	couvert
n.	eussions	couvert
v.	eussiez	couvert
ils	eussent	couvert

INFINITIF

Présent	Passé
couvrir	avoir couvert

PARTICIPE

Présent	Passé
couvrant	couvert, te
	ayant couvert

Ainsi se conjuguent **couvrir, ouvrir, offrir, souffrir** et leurs composés (page 98). Remarquer l'analogie des terminaisons du présent de l'indicatif, de l'impératif et du subjonctif avec celles des verbes du 1er groupe.

INDICATIF

Présent		Passé composé	
je	cueill e	j' ai	cueilli
tu	cueill es	tu as	cueilli
il	cueill e	il a	cueilli
nous	cueill ons	n. avons	cueilli
vous	cueill ez	v. avez	cueilli
ils	cueill ent	ils ont	cueilli

Imparfait		Plus-que-parfait	
je	cueill ais	j' avais	cueilli
tu	cueill ais	tu avais	cueilli
il	cueill ait	il avait	cueilli
nous	cueill ions	n. avions	cueilli
vous	cueill iez	v. aviez	cueilli
ils	cueill aient	ils avaient	cueilli

Passé simple		Passé antérieur	
je	cueill is	j' eus	cueilli
tu	cueill is	tu eus	cueilli
il	cueill it	il eut	cueilli
nous	cueill îmes	n. eûmes	cueilli
vous	cueill îtes	v. eutes	cueilli
ils	cueill irent	ils eurent	cueilli

Futur simple		Futur antérieur	
je	cueill erai	j' aurai	cueilli
tu	cueill eras	tu auras	cueilli
il	cueill era	il aura	cueilli
nous	cueill erons	n. aurons	cueilli
vous	cueill erez	v. aurez	cueilli
ils	cueill eront	ils auront	cueilli

SUBJONCTIF

Présent	Passé	
que je cueill e	que j' aie	cueilli
que tu cueill es	que tu aies	cueilli
qu'il cueill e	qu'il ait	cueilli
que n. cueill ions	que n. ayons	cueilli
que v. cueill iez	que v. ayez	cueilli
qu'ils cueill ent	qu'ils aient	cueilli

Imparfait	Plus-que-parfait	
que je cueill isse	que j' eusse	cueilli
que tu cueill isses	que tu eusses	cueilli
qu'il cueill ît	qu'il eût	cueilli
que n. cueill issions	que n. eussions	cueilli
que v. cueill issiez	que v. eussiez	cueilli
qu'ils cueill issent	qu'ils eussent	cueilli

IMPÉRATIF

Présent	Passé	
cueill e	aie	cueilli
cueill ons	ayons	cueilli
cueill ez	ayez	cueilli

CONDITIONNEL

Présent		Passé 1re forme	
je	cueill erais	j' aurais	cueilli
tu	cueill erais	tu aurais	cueilli
il	cueill erait	il aurait	cueilli
n.	cueill erions	n. aurions	cueilli
v.	cueill eriez	v. auriez	cueilli
ils	cueill eraient	ils auraient	cueilli

Passé 2e forme		
j'	eusse	cueilli
tu	eusses	cueilli
il	eût	cueilli
n.	eussions	cueilli
v.	eussiez	cueilli
ils	eussent	cueilli

INFINITIF

Présent	Passé
cueillir	avoir cueilli

PARTICIPE

Présent	Passé
cueill ant	cueill i, ie
	ayant cueilli

Ainsi se conjuguent **accueillir** et **recueillir**. Remarquer l'analogie des terminaisons de ce verbe avec celles du 1er groupe, en particulier au futur et au conditionnel . je *cueillerai* comme j'aimerai. (Mais le passé simple est *je cueillis*, différent de *j'aimai*.)

INDICATIF

Présent		Passé composé	
j'	ass aille	j' ai	assailli
tu	ass ailles	tu as	assailli
il	ass aille	il a	assailli
nous	ass aillons	n. avons	assailli
vous	ass aillez	v. avez	assailli
ils	ass aillent	ils ont	assailli

Imparfait		Plus-que-parfait	
j'	ass aillais	j' avais	assailli
tu	ass aillais	tu avais	assailli
il	ass aillait	il avait	assailli
nous	ass aillions	n. avions	assailli
vous	ass ailliez	v. aviez	assailli
ils	ass aillaient	ils avaient	assailli

Passé simple		Passé antérieur	
j'	ass aillis	j' eus	assailli
tu	ass aillis	tu eus	assailli
il	ass aillit	il eut	assailli
nous	ass aillîmes	n. eûmes	assailli
vous	ass aillîtes	v. eûtes	assailli
ils	ass aillirent	ils eurent	assailli

Futur simple		Futur antérieur	
j'	ass aillirai	j' aurai	assailli
tu	ass ailliras	tu auras	assailli
il	ass aillira	il aura	assailli
nous	ass aillirons	n. aurons	assailli
vous	ass aillirez	v. aurez	assailli
ils	ass ailliront	ils auront	assailli

SUBJONCTIF

Présent		Passé	
que j'	ass aille	que j' aie	assailli
que tu	ass ailles	que tu aies	assailli
qu'il	ass aille	qu'il ait	assailli
que n.	ass aillions	que n. ayons	assailli
que v.	ass ailliez	que v. ayez	assailli
qu'ils	ass aillent	qu'ils aient	assailli

Imparfait		Plus-que-parfait	
que j'	ass aillisse	que j' eusse	assailli
que tu	ass aillisses	que tu eusses	assailli
qu'il	ass aillît	qu'il eût	assailli
que n.	ass aillissions	que n. eussions	assailli
que v.	ass aillissiez	que v. eussiez	assailli
qu'ils	ass aillissent	qu'ils eussent	assailli

IMPÉRATIF

Présent	Passé	
ass aille	aie	assailli
ass aillons	ayons	assailli
ass aillez	ayez	assailli

CONDITIONNEL

Présent		Passé 1re forme	
j' ass aillirais		j' aurais	assailli
tu ass aillirais		tu aurais	assailli
il ass aillirait		il aurait	assailli
n. ass aillirions		n. aurions	assailli
v. ass ailliriez		v. auriez	assailli
ils ass ailliraient		ils auraient	assailli

Passé 2e forme		
j' eusse	assailli
tu eusses	assailli
il eût	assailli
n. eussions	assailli
v. eussiez	assailli
ils eussent	assailli

INFINITIF

Présent	Passé
ass aillir	avoir assailli

PARTICIPE

Présent	Passé
ass aillant	ass ailli, ie
	ayant assailli

Ainsi se conjuguent **tressaillir** et **défaillir** (cf. page suivante). Si quelques prosateurs célèbres ont risqué : *il tressaillit* au présent de l'indicatif, le dictionnaire de l'Académie, loin d'autoriser cette licence, écrit : *il tressaille de joie*. De même pour *je tressaillerai*, en regard de la seule forme correcte : *je tressaillirai*.

Saillir fait au futur *il saillera, ils sailleront*.

INDICATIF		SUBJONCTIF	
Présent	*Passé composé*	*Présent*	*Passé*
je faux	j'ai failli, etc.	*que je faille,* etc.	que j'aie failli, etc.
tu faux			
il faut		*Imparfait*	*Plus-que-parfait*
nous faillons			
vous faillez		*que je faillisse,* etc.	que j'eusse failli
ils faillent			

Imparfait	*Plus-que-parfait*	
je faillais, etc.	j'avais failli...	**IMPÉRATIF**

Passé simple	*Passé antérieur*	*Présent*
je faillis, etc.	j'eus failli, etc.	....

Futur simple	*Futur antérieur*	CONDITIONNEL	
je faillirai, etc.	j'aurai failli, etc.	*Présent*	*Passé 1ʳᵉ forme*
je faudrai, etc.		je faillirais, etc.	j'aurais failli...
		je faudrais, etc.	

INFINITIF		PARTICIPE	
Présent	*Passé*	*Présent*	*Passé*
faillir	avoir failli	faillant	failli, ayant failli

Les formes en italique sont tout à fait désuètes.

Le verbe **faillir** a trois emplois distincts :

1. Au sens de *manquer de* (semi-auxiliaire suivi de l'infinitif) : *j'ai failli tomber,* il n'a que le passé simple : *je faillis;* le futur, le conditionnel : *je faillirai, je faillirais,* et tous les temps composés du type *avoir failli.*

2. Ces mêmes formes sont usitées avec le sens de *manquer à* : *je ne faillirai jamais à mon devoir.* Mais dans cette acception on trouve aussi quelques formes archaïques qui survivent surtout dans des expressions toutes faites comme *Le cœur me faut.* Ce sont elles qui sont signalées ci-dessus en italique.

3. Enfin au sens de *faire faillite* ce verbe se conjugue régulièrement sur **finir,** mais il est pratiquement inusité, sauf au participe passé employé comme nom : *un failli.*

VERBE **DÉFAILLIR**

Ce verbe se conjugue sur **assaillir** (tableau 29), mais certains temps sont moins usités (présent de l'indicatif au singulier, futur simple et conditionnel présent), sans doute en raison d'hésitations dues à la persistance de formes archaïques aujourd'hui sorties de l'usage, telles que :

Indicatif présent : je défaus, tu défaus, il défaut
Indicatif futur : je défaudrai, etc.

Mais ces hésitations n'autorisent pas à dire au futur : *je défaillerai* pour *je défaillirai.*

INDICATIF

Présent		Passé composé		
je	bous	j'	ai	bouilli
tu	bous	tu	as	bouilli
il	bout	il	a	bouilli
nous	bouill ons	n.	avons	bouilli
vous	bouill ez	v.	avez	bouilli
ils	bouill ent	ils	ont	bouilli

Imparfait		Plus-que-parfait		
je	bouill ais	j'	avais	bouilli
tu	bouill ais	tu	avais	bouilli
il	bouill ait	il	avait	bouilli
nous	bouill ions	n.	avions	bouilli
vous	bouill iez	v.	aviez	bouilli
ils	bouill aient	ils	avaient	bouilli

Passé simple		Passé antérieur		
je	bouill is	j'	eus	bouilli
tu	bouill is	tu	eus	bouilli
il	bouill it	il	eut	bouilli
nous	bouill îmes	n.	eûmes	bouilli
vous	bouill îtes	v.	eûtes	bouilli
ils	bouill irent	ils	eurent	bouilli

Futur simple		Futur antérieur		
je	bouill irai	j'	aurai	bouilli
tu	bouill iras	tu	auras	bouilli
il	bouill ira	il	aura	bouilli
nous	bouill irons	n.	aurons	bouilli
vous	bouill irez	v.	aurez	bouilli
ils	bouill iront	ils	auront	bouilli

SUBJONCTIF

Présent		Passé		
que je	bouill e	que j'	aie	bouilli
que tu	bouill es	que tu	aies	bouilli
qu'il	bouill e	qu'il	ait	bouilli
que n.	bouill ions	que n.	ayons	bouilli
que v.	bouill iez	que v.	ayez	bouilli
qu'ils	bouill ent	qu'ils	aient	bouilli

Imparfait		Plus-que-parfait		
que je	bouill isse	que j'	eusse	bouilli
que tu	bouill isses	que tu	eusses	bouilli
qu'il	bouill ît	qu'il	eût	bouilli
que n.	bouill issions	que n.	eussions	bouilli
que v.	bouill issiez	que v.	eussiez	bouilli
qu'ils	bouill issent	qu'ils	eussent	bouilli

IMPÉRATIF

Présent	Passé	
bou s	aie	bouilli
bouill ons	ayons	bouilli
bouill ez	ayez	bouilli

CONDITIONNEL

Présent		Passé 1re forme		
je	bouill irais	j'	aurais	bouilli
tu	bouill irais	tu	aurais	bouilli
il	bouill irait	il	aurait	bouilli
n.	bouill irions	n.	aurions	bouilli
v.	bouill iriez	v.	auriez	bouilli
ils	bouill iraient	ils	auraient	bouilli

Passé 2e forme		
j'	eusse	bouilli
tu	eusses	bouilli
il	eût	bouilli
n.	eussions	bouilli
v.	eussiez	bouilli
ils	eussent	bouilli

INFINITIF

Présent	Passé
bouill ir	avoir bouilli

PARTICIPE

Présent	Passé
bouill ant	bouill i, ie
	ayant bouilli

INDICATIF				**SUBJONCTIF**			
Présent		**Passé composé**		**Présent**		**Passé**	
e	dors	j'	ai dormi	que je dorm e		que j'	aie dormi
tu	dors	tu	as dormi	que tu dorm es		que tu	aies dormi
l	dort	il	a dormi	qu'il dorm e		qu'il	ait dormi
nous	dorm ons	n.	avons dormi	que n. dorm ions		que n.	ayons dormi
vous	dorm ez	v.	avez dormi	que v. dorm iez		que v.	ayez dormi
ls	dorm ent	ils	ont dormi	qu'ils dorm ent		qu'ils	aient dormi

Imparfait		**Plus-que-parfait**		**Imparfait**		**Plus-que-parfait**	
e	dorm ais	j'	avais dormi	que je dorm isse		que j'	eusse dormi
tu	dorm ais	tu	avais dormi	que tu dorm isses		que tu	eusses dormi
l	dorm ait	il	avait dormi	qu'il dorm ît		qu'il	eût dormi
nous	dorm ions	n.	avions dormi	que n. dorm issions		que n.	eussions dormi
vous	dorm iez	v.	aviez dormi	que v. dorm issiez		que v.	eussiez dormi
ils	dorm aient	ils	avaient dormi	qu'ils dorm issent		qu'ils	eussent dormi

Passé simple		**Passé antérieur**	
je	dorm is	j'	eus dormi
tu	dorm is	tu	eus dormi
il	dorm it	il	eut dormi
nous	dorm îmes	n.	eûmes dormi
vous	dorm îtes	v.	eûtes dormi
ils	dorm irent	ils	eurent dormi

IMPÉRATIF		
Présent		**Passé**
dors		aie dormi
dorm ons		ayons dormi
dorm ez		ayez dormi

Futur simple		**Futur antérieur**		**CONDITIONNEL**			
				Présent		**Passé 1re forme**	
je	dorm irai	j'	aurai dormi	je	dorm irais	j'	aurais dormi
tu	dorm iras	tu	auras dormi	tu	dorm irais	tu	aurais dormi
il	dorm ira	il	aura dormi	il	dorm irait	il	aurait dormi
nous	dorm irons	n.	aurons dormi	n.	dorm irions	n.	aurions dormi
vous	dorm irez	v.	aurez dormi	v.	dorm iriez	v.	auriez dormi
ils	dorm iront	ils	auront dormi	ils	dorm iraient	ils	auraient dormi

INFINITIF		**PARTICIPE**		**Passé 2e forme**	
Présent	**Passé**	**Présent**	**Passé**	j'	eusse dormi
				tu	eusses dormi
				il	eût dormi
				n.	eussions dormi
dorm ir	avoir dormi	dorm ant	dorm i	v.	eussiez dormi
			ayant dormi	ils	eussent dormi

Ainsi se conjuguent **redormir, endormir, rendormir.** Ces deux derniers verbes ont le participe passé variable, *endormi, endormie,* alors que le féminin *dormie* est pratiquement inusité.

33 VERBE **COURIR**

INDICATIF

Présent		*Passé composé*	
je	cours	j' ai	couru
tu	cours	tu as	couru
il	court	il a	couru
nous	courons	n. avons	couru
vous	courez	v. avez	couru
ils	courent	ils ont	couru

Imparfait		*Plus-que-parfait*	
je	courais	j' avais	couru
tu	courais	tu avais	couru
il	courait	il avait	couru
nous	courions	n. avions	couru
vous	couriez	v. aviez	couru
ils	couraient	ils avaient	couru

Passé simple		*Passé antérieur*	
je	courus	j' eus	couru
tu	courus	tu eus	couru
il	courut	il eut	couru
nous	courûmes	n. eûmes	couru
vous	courûtes	v. eûtes	couru
ils	coururent	ils eurent	couru

Futur simple		*Futur antérieur*	
je	courrai	j' aurai	couru
tu	courras	tu auras	couru
il	courra	il aura	couru
nous	courrons	n. aurons	couru
vous	courrez	v. aurez	couru
ils	courront	ils auront	couru

SUBJONCTIF

Présent	*Passé*	
que je coure	que j' aie	couru
que tu coures	que tu aies	couru
qu'il coure	qu'il ait	couru
que n. courions	que n. ayons	couru
que v. couriez	que v. ayez	couru
qu'ils courent	qu'ils aient	couru

Imparfait	*Plus-que-parfait*	
que je courusse	que j' eusse	couru
que tu courusses	que tu eusses	couru
qu'il courût	qu'il eût	couru
que n. courussions	que n. eussions	couru
que v. courussiez	que v. eussiez	couru
qu'ils courussent	qu'ils eussent	couru

IMPÉRATIF

Présent	*Passé*	
cours	aie	couru
courons	ayons	couru
courez	ayez	couru

CONDITIONNEL

Présent		*Passé 1re forme*	
je	courrais	j' aurais	couru
tu	courrais	tu aurais	couru
il	courrait	il aurait	couru
n.	courrions	n. aurions	couru
v.	courriez	v. auriez	couru
ils	courraient	ils auraient	couru

Passé 2e forme		
j'	eusse	couru
tu	eusses	couru
il	eût	couru
n.	eussions	couru
v.	eussiez	couru
ils	eussent	couru

INFINITIF

Présent	*Passé*
courir	avoir couru

PARTICIPE

Présent	*Passé*
courant	couru, ue
	ayant couru

Ainsi se conjuguent les composés de **courir** (page 98).
Remarquer les deux **r** du futur et du conditionnel présent : *je courrai, je courrais.*

INDICATIF

Présent		Passé composé	
je	meurs	je suis	mort
tu	meurs	tu es	mort
il	meurt	il est	mort
nous	mourons	n. sommes	morts
vous	mourez	v. êtes	morts
ils	meurent	ils sont	morts

Imparfait		Plus-que-parfait	
je	mourais	j' étais	mort
tu	mourais	tu étais	mort
il	mourait	il était	mort
nous	mourions	n. étions	morts
vous	mouriez	v. étiez	morts
ils	mouraient	ils étaient	morts

Passé simple		Passé antérieur	
je	mourus	je fus	mort
tu	mourus	tu fus	mort
il	mourut	il fut	mort
nous	mourûmes	n. fûmes	morts
vous	mourûtes	v. fûtes	morts
ils	moururent	ils furent	morts

Futur simple		Futur antérieur	
je	mourrai	je serai	mort
tu	mourras	tu seras	mort
il	mourra	il sera	mort
nous	mourrons	n. serons	morts
vous	mourrez	v. serez	morts
ils	mourront	ils seront	morts

SUBJONCTIF

Présent	Passé	
que je meure	que je sois	mort
que tu meures	que tu sois	mort
qu'il meure	qu'il soit	mort
que n. mourions	que n. soyons	morts
que v. mouriez	que v. soyez	morts
qu'ils meurent	qu'ils soient	morts

Imparfait	Plus-que-parfait	
que je mourusse	que je fusse	mort
que tu mourusses	que tu fusses	mort
qu'il mourût	qu'il fût	mort
que n. mourussions	que n. fussions	morts
que v. mourussiez	que v. fussiez	morts
qu'ils mourussent	qu'ils fussent	morts

IMPÉRATIF

Présent	Passé	
meurs	sois	mort
mourons	soyons	morts
mourez	soyez	morts

CONDITIONNEL

Présent		Passé 1re forme	
je	mourrais	je	serais	mort
tu	mourrais	tu	serais	mort
il	mourrait	il	serait	mort
n.	mourrions	n.	serions	morts
v.	mourriez	v.	seriez	morts
ils	mourraient	ils	seraient	morts

Passé 2e forme		
je	fusse	mort
tu	fusses	mort
il	fût	mort
n.	fussions	morts
v.	fussiez	morts
ils	fussent	morts

INFINITIF

Présent	Passé
mourir	être mort

PARTICIPE

Présent	Passé
mourant	mort, te
	étant mort

Remarquer le redoublement de l'**r** au futur et au conditionnel présent : *je mourrai, je mourrais,* et l'emploi de l'auxiliaire **être** dans les temps composés.

35 VERBE **SERVIR**

INDICATIF

Présent		Passé composé	
je	sers	j' ai	servi
tu	sers	tu as	servi
il	sert	il a	servi
nous	serv ons	n. avons	servi
vous	serv ez	v. avez	servi
ils	serv ent	ils ont	servi

Imparfait		Plus-que-parfait	
je	serv ais	j' avais	servi
tu	serv ais	tu avais	servi
il	serv ait	il avait	servi
nous	serv ions	n. avions	servi
vous	serv iez	v. aviez	servi
ils	serv aient	ils avaient	servi

Passé simple		Passé antérieur	
je	serv is	j' eus	servi
tu	serv is	tu eus	servi
il	serv it	il eut	servi
nous	serv îmes	n. eûmes	servi
vous	serv îtes	v. eûtes	servi
ils	serv irent	ils eurent	servi

Futur simple		Futur antérieur	
je	serv irai	j' aurai	servi
tu	serv iras	tu auras	servi
il	serv ira	il aura	servi
nous	serv irons	n. aurons	servi
vous	serv irez	v. aurez	servi
ils	serv iront	ils auront	servi

SUBJONCTIF

Présent		Passé	
que je	serv e	que j' aie	servi
que tu	serv es	que tu aies	servi
qu'il	serv e	qu'il ait	servi
que n.	serv ions	que n. ayons	servi
que v.	serv iez	que v. ayez	servi
qu'ils	serv ent	qu'ils aient	servi

Imparfait		Plus-que-parfait	
que je	serv isse	que j' eusse	servi
que tu	serv isses	que tu eusses	servi
qu'il	serv ît	qu'il eût	servi
que n.	serv issions	que n. eussions	servi
que v.	serv issiez	que v. eussiez	servi
qu'ils	serv issent	qu'ils eussent	servi

IMPÉRATIF

Présent	Passé	
sers	aie	servi
serv ons	ayons	servi.
serv ez	ayez	servi

CONDITIONNEL

Présent		Passé 1re forme	
je	serv irais	j' aurais	servi
tu	serv irais	tu aurais	servi
il	serv irait	il aurait	servi
n.	serv irions	n. aurions	servi
v.	serv iriez	v. auriez	servi
ils	serv iraient	ils auraient	servi

Passé 2e forme		
j'	eusse	servi
tu	eusses	servi
il	eût	servi
n.	eussions	servi
v.	eussiez	servi
ils	eussent	servi

INFINITIF

Présent	Passé
serv ir	avoir servi

PARTICIPE

Présent	Passé
serv ant	serv i, ie
	ayant servi

Ainsi se conjuguent **desservir, resservir**. Mais **asservir** se conjugue sur **finir**.

INDICATIF

Présent		Passé composé	
je	fuis	j' ai	fui
tu	fuis	tu as	fui
il	fuit	il a	fui
nous	fuyons	n. avons	fui
vous	fuyez	v. avez	fui
ils	fuient	ils ont	fui

Imparfait		Plus-que-parfait	
je	fuyais	j' avais	fui
tu	fuyais	tu avais	fui
il	fuyait	il avait	fui
nous	fuyions	n. avions	fui
vous	fuyiez	v. aviez	fui
ils	fuyaient	ils avaient	fui

Passé simple		Passé antérieur	
je	fuis	j' eus	fui
tu	fuis	tu eus	fui
il	fuit	il eut	fui
nous	fuîmes	n. eûmes	fui
vous	fuîtes	v. eûtes	fui
ils	fuirent	ils eurent	fui

Futur simple		Futur antérieur	
je	fuirai	j' aurai	fui
tu	fuiras	tu auras	fui
il	fuira	il aura	fui
nous	fuirons	n. aurons	fui
vous	fuirez	v. aurez	fui
ils	fuiront	ils auront	fui

SUBJONCTIF

Présent		Passé	
que je	fuie	que j' aie	fui
que tu	fuies	que tu aies	fui
qu'il	fuie	qu'il ait	fui
que n.	fuyions	que n. ayons	fui
que v.	fuyiez	que v. ayez	fui
qu'ils	fuient	qu'ils aient	fui

Imparfait		Plus-que-parfait	
que je	fuisse	que j' eusse	fui
que tu	fuisses	que tu eusses	fui
qu'il	fuît	qu'il eût	fui
que n.	fuissions	que n. eussions	fui
que v.	fuissiez	que v. eussiez	fui
qu'ils	fuissent	qu'ils eussent	fui

IMPÉRATIF

Présent	Passé	
fuis	aie	fui
fuyons	ayons	fui
fuyez	ayez	fui

CONDITIONNEL

Présent		Passé 1re forme	
je	fuirais	j' aurais	fui
tu	fuirais	tu aurais	fui
il	fuirait	il aurait	fui
n.	fuirions	n. aurions	fui
v.	fuiriez	v. auriez	fui
ils	fuiraient	ils auraient	fui

Passé 2e forme		
j'	eusse	fui
tu	eusses	fui
il	eût	fui
n.	eussions	fui
v.	eussiez	fui
ils	eussent	fui

INFINITIF

Présent	Passé
fuir	avoir fui

PARTICIPE

Présent	Passé
fuyant	fui, ie
	ayant fui

Ainsi se conjugue **s'enfuir**.

37 VERBE OUÏR

INDICATIF

Présent		**Passé composé**
j'	ois	j'ai ouï
tu	ois	
il	oit	
nous	oyons	
vous	oyez	
ils	oient	

Imparfait		**Plus-que-parfait**
j'	oyais	j'avais ouï

Passé simple		**Passé antérieur**
j'	ouïs	j'eus ouï

Futur simple		**Futur antérieur**
j'	ouïrai	j'aurai ouï
j'	orrai	
j'	oirai	

SUBJONCTIF

Présent		**Passé**
que j'	oie	que j'aie ouï
que tu	oies	
qu'il	oie	
que n.	oyions	
que v.	oyiez	
qu'ils	oient	

Imparfait		**Plus-que-parfait**
que j'	ouïsse	que j'eusse ouï

CONDITIONNEL   IMPÉRATIF

Présent	**Présent**
j'ouïrais	ois
j'orrais	oyons
j'oirais	oyez

Passé 1ʳᵉ forme

j'aurais ouï

INFINITIF

Présent	**Passé**
ouïr	avoir ouï

PARTICIPE

Présent	**Passé**
oyant	ouï, ïe ayant ouï

Le verbe **ouïr** a définitivement cédé la place à **entendre**. Il n'est plus employé qu'à l'infinitif et dans l'expression « *par ouï-dire* ». La conjugaison archaïque est donnée ci-dessus en italique, excepté pour les formes qui se sont maintenues le plus longtemps. A noter le futur *j'ouïrai*, refait d'après l'infinitif sur le modèle de : **sentir, je sentirai**.

VERBE GÉSIR

Ce verbe, qui signifie : *être couché*, n'est plus d'usage qu'aux formes ci-après :

INDICATIF	**Présent**		**Imparfait**	**PARTICIPE**	**Présent**
	je	gis	je	gisais		gisant
	tu	gis	tu	gisais	
	il	gît	il	gisait	
	nous	gisons	nous	gisions	
	vous	gisez	vous	gisiez	
	ils	gisent	ils	gisaient	

On n'emploie guère le verbe **gésir** qu'en parlant des personnes malades ou mortes, et de choses renversées par le temps ou la destruction : *Nous* **gisions** *tous les deux sur le pavé d'un cachot, malades et privés de secours. Son cadavre* **gît** *maintenant dans le tombeau. Des colonnes* **gisant** *éparses* (Académie). Cf. l'inscription funéraire : *ci-gît*.

INDICATIF

Présent		Passé composé	
je	re çois	j' ai	reçu
tu	re çois	tu as	reçu
il	re çoit	il a	reçu
nous	re cevons	n. avons	reçu
vous	re cevez	v. avez	reçu
ils	re çoivent	ils ont	reçu

Imparfait		Plus-que-parfait	
je	re cevais	j' avais	reçu
tu	re cevais	tu avais	reçu
il	re cevait	il avait	reçu
nous	re cevions	n. avions	reçu
vous	re ceviez	v. aviez	reçu
ils	re cevaient	ils avaient	reçu

Passé simple		Passé antérieur	
je	re çus	j' eus	reçu
tu	re çus	tu eus	reçu
il	re çut	il eut	reçu
nous	re çûmes	n. eûmes	reçu
vous	re çûtes	v. eûtes	reçu
ils	re çurent	ils eurent	reçu

Futur simple		Futur antérieur	
je	re cevrai	j' aurai	reçu
tu	re cevras	tu auras	reçu
il	re cevra	il aura	reçu
nous	re cevrons	n. aurons	reçu
vous	re cevrez	v. aurez	reçu
ils	re cevront	ils auront	reçu

SUBJONCTIF

Présent		Passé	
que je re çoive		que j' aie	reçu
que tu re çoives		que tu aies	reçu
qu'il re çoive		qu'il ait	reçu
que n. re cevions		que n. ayons	reçu
que v. re ceviez		que v. ayez	reçu
qu'ils re çoivent		qu'ils aient	reçu

Imparfait		Plus-que-parfait	
que je re çusse		que j' eusse	reçu
que tu re çusses		que tu eusses	reçu
qu'il re çût		qu'il eût	reçu
que n. re çussions		que n. eussions	reçu
que v. re çussiez		que v. eussiez	reçu
qu'ils re çussent		qu'ils eussent	reçu

IMPÉRATIF

Présent	Passé	
re çois	aie	reçu
re cevons	ayons	reçu
re cevez	ayez	reçu

CONDITIONNEL

Présent		Passé 1re forme	
je	re cevrais	j'	aurais	reçu
tu	re cevrais	tu	aurais	reçu
il	re cevrait	il	aurait	reçu
n.	re cevrions	n.	aurions	reçu
v.	re cevriez	v.	auriez	reçu
ils	re cevraient	ils	auraient	reçu

Passé 2e forme		
j'	eusse	reçu
tu	eusses	reçu
il	eût	reçu
n.	eussions	reçu
v.	eussiez	reçu
ils	eussent	reçu

INFINITIF

Présent	Passé
re cevoir	avoir reçu

PARTICIPE

Présent	Passé
re cevant	re çu, ue
	ayant reçu

La cédille est placée sous le **c** chaque fois qu'il précède un **o** ou un **u**.
Ainsi se conjuguent **apercevoir, concevoir, décevoir, percevoir.**

39 VERBE **VOIR**

INDICATIF

Présent		Passé composé		
je	vois	j'	ai	vu
tu	vois	tu	as	vu
il	voit	il	a	vu
nous	voyons	n.	avons	vu
vous	voyez	v.	avez	vu
ils	voient	ils	ont	vu

Imparfait		Plus-que-parfait		
je	voyais	j'	avais	vu
tu	voyais	tu	avais	vu
il	voyait	il	avait	vu
nous	voyions	n.	avions	vu
vous	voyiez	v.	aviez	vu
ils	voyaient	ils	avaient	vu

Passé simple		Passé antérieur		
je	vis	j'	eus	vu
tu	vis	tu	eus	vu
il	vit	il	eut	vu
nous	vîmes	n.	eûmes	vu
vous	vîtes	v.	eûtes	vu
ils	virent	ils	eurent	vu

Futur simple		Futur antérieur		
je	verrai	j'	aurai	vu
tu	verras	tu	auras	vu
il	verra	il	aura	vu
nous	verrons	n.	aurons	vu
vous	verrez	v.	aurez	vu
ils	verront	ils	auront	vu

SUBJONCTIF

Présent		Passé		
que je	voie	que j'	aie	vu
que tu	voies	que tu	aies	vu
qu'il	voie	qu'il	ait	vu
que n.	voyions	que n.	ayons	vu
que v.	voyiez	que v.	ayez	vu
qu'ils	voient	qu'ils	aient	vu

Imparfait		Plus-que-parfait		
que je	visse	que j'	eusse	vu
que tu	visses	que tu	eusses	vu
qu'il	vît	qu'il	eût	vu
que n.	vissions	que n.	eussions	vu
que v.	vissiez	que v.	eussiez	vu
qu'ils	vissent	qu'ils	eussent	vu

IMPÉRATIF

Présent	Passé	
vois	aie	vu
voyons	ayons	vu
voyez	ayez	vu

CONDITIONNEL

Présent		Passé 1ʳᵉ forme		
je	verrais	j'	aurais	vu
tu	verrais	tu	aurais	vu
il	verrait	il	aurait	vu
n.	verrions	n.	aurions	vu
v.	verriez	v.	auriez	vu
ils	verraient	ils	auraient	vu

Passé 2ᵉ forme		
j'	eusse	vu
tu	eusses	vu
il	eût	vu
n.	eussions	vu
v.	eussiez	vu
ils	eussent	vu

INFINITIF

Présent	Passé
voir	avoir vu

PARTICIPE

Présent	Passé
voyant	vu, ue
	ayant vu

Ainsi se conjuguent **entrevoir, revoir, prévoir.** Ce dernier fait au futur et au conditionnel : *je prévoirai... je prévoirais...*

INDICATIF

Présent

e	pourvois	j' ai	pourvu
u	pourvois	tu as	pourvu
	pourvoit	il a	pourvu
ous	pourvoyons	n. avons	pourvu
ous	pourvoyez	v. avez	pourvu
s	pourvoient	ils ont	pourvu

Passé composé

Imparfait

e	pourvoyais	j' avais	pourvu
u	pourvoyais	tu avais	pourvu
	pourvoyait	il avait	pourvu
ous	pourvoyions	n. avions	pourvu
ous	pourvoyiez	v. aviez	pourvu
s	pourvoyaient	ils avaient	pourvu

Plus-que-parfait

Passé simple

e	pourvus	j' eus	pourvu
u	pourvus	tu eus	pourvu
	pourvut	il eut	pourvu
ous	pourvûmes	n. eûmes	pourvu
ous	pourvûtes	v. eûtes	pourvu
s	pourvurent	ils eurent	pourvu

Passé antérieur

Futur simple

e	pourvoirai	j' aurai	pourvu
u	pourvoiras	tu auras	pourvu
	pourvoira	il aura	pourvu
ous	pourvoirons	n. aurons	pourvu
ous	pourvoirez	v. aurez	pourvu
ls	pourvoiront	ils auront	pourvu

Futur antérieur

SUBJONCTIF

Présent

que je pourvoie		que j' aie	pourvu
que tu pourvoies		que tu aies	pourvu
qu'il pourvoie		qu'il ait	pourvu
que n. pourvoyions		que n. ayons	pourvu
que v. pourvoyiez		que v. ayez	pourvu
qu'ils pourvoient		qu'ils aient	pourvu

Passé

Imparfait

que je pourvusse		que j' eusse	pourvu
que tu pourvusses		que tu eusses	pourvu
qu'il pourvût		qu'il eût	pourvu
que n. pourvussions		que n. eussions	pourvu
que v. pourvussiez		que v. eussiez	pourvu
qu'ils pourvussent		qu'ils eussent	pourvu

Plus-que-parfait

IMPÉRATIF

Présent

pourvois	aie	pourvu
pourvoyons	ayons	pourvu
pourvoyez	ayez	pourvu

Passé

CONDITIONNEL

Présent

je pourvoirais	j' aurais	pourvu
tu pourvoirais	tu aurais	pourvu
il pourvoirait	il aurait	pourvu
n. pourvoirions	n. aurions	pourvu
v. pourvoiriez	v. auriez	pourvu
ils pourvoiraient	ils auraient	pourvu

Passé 1re forme

Passé 2e forme

j' eusse	pourvu
tu eusses	pourvu
il eût	pourvu
n. eussions	pourvu
v. eussiez	pourvu
ils eussent	pourvu

INFINITIF

Présent	Passé
pourvoir	avoir pourvu

PARTICIPE

Présent	Passé
pourvoyant	pourvu, ue
	ayant pourvu

Pourvoir se conjugue comme le verbe simple **voir** (tableau 39) sauf au futur et au conditionnel : *je pourvoirai, je pourvoirais;* au passé simple et au subjonctif imparfait : *je pourvus, que je pourvusse.*
Dépourvoir s'emploie rarement et seulement au passé simple, à l'infinitif, au participe passé et aux temps composés : *Il le dépourvut de tout.* On l'utilise surtout à la forme pronominale : *Je me suis dépourvu de tout pour vous.*

41 VERBE **SAVOIR**

INDICATIF

Présent		Passé composé	
je	sais	j' ai	su
tu	sais	tu as	su
il	sait	il a	su
nous	savons	n. avons	su
vous	savez	v. avez	su
ils	savent	ils ont	su

Imparfait		Plus-que-parfait	
je	savais	j' avais	su
tu	savais	tu avais	su
il	savait	il avait	su
nous	savions	n. avions	su
vous	saviez	v. aviez	su
ils	savaient	ils avaient	su

Passé simple		Passé antérieur	
je	sus	j' eus	su
tu	sus	tu eus	su
il	sut	il eut	su
nous	sûmes	n. eûmes	su
vous	sûtes	v. eûtes	su
ils	surent	ils eurent	su

Futur simple		Futur antérieur	
je	saurai	j' aurai	su
tu	sauras	tu auras	su
il	saura	il aura	su
nous	saurons	n. aurons	su
vous	saurez	v. aurez	su
ils	sauront	ils auront	su

SUBJONCTIF

Présent	Passé	
que je sache	que j' aie	su
que tu saches	que tu aies	su
qu'il sache	qu'il ait	su
que n. sachions	que n. ayons	su
que v. sachiez	que v. ayez	su
qu'ils sachent	qu'ils aient	su

Imparfait	Plus-que-parfait	
que je susse	que j' eusse	su
que tu susses	que tu eusses	su
qu'il sût	qu'il eût	su
que n. sussions	que n. eussions	su
que v. sussiez	que v. eussiez	su
qu'ils sussent	qu'ils eussent	su

IMPÉRATIF

Présent	Passé	
sache	aie	su
sachons	ayons	su
sachez	ayez	su

CONDITIONNEL

Présent		Passé 1re forme	
je	saurais	j'	aurais	su
tu	saurais	tu	aurais	su
il	saurait	il	aurait	su
n.	saurions	n.	aurions	su
v.	sauriez	v.	auriez	su
ils	sauraient	ils	auraient	su

Passé 2e forme		
j'	eusse	su
tu	eusses	su
il	eût	su
n.	eussions	su
v.	eussiez	su
ils	eussent	su

INFINITIF

Présent	Passé
savoir	avoir su

PARTICIPE

Présent	Passé
sachant	su, ue
	ayant su

A noter l'emploi curieux du subjonctif dans les expressions : **je ne sache pas** *qu'il soit venu ; il n'est pas venu,* **que je sache.**

INDICATIF

Présent		Passé composé		
je	dois	j'	ai	dû
tu	dois	tu	as	dû
	doit	il	a	dû
nous	devons	n.	avons	dû
vous	devez	v.	avez	dû
ils	doivent	ils	ont	dû

Imparfait		Plus-que-parfait		
je	devais	j'	avais	dû
tu	devais	tu	avais	dû
	devait	il	avait	dû
nous	devions	n.	avions	dû
vous	deviez	v.	aviez	dû
ils	devaient	ils	avaient	dû

Passé simple		Passé antérieur		
je	dus	j'	eus	dû
tu	dus	tu	eus	dû
	dut	il	eut	dû
nous	dûmes	n.	eûmes	dû
vous	dûtes	v.	eûtes	dû
ils	durent	ils	eurent	dû

Futur simple		Futur antérieur		
je	devrai	j'	aurai	dû
tu	devras	tu	auras	dû
	devra	il	aura	dû
nous	devrons	n.	aurons	dû
vous	devrez	v.	aurez	dû
ils	devront	ils	auront	dû

SUBJONCTIF

Présent	Passé		
que je doive	que j'	aie	dû
que tu doives	que tu aies		dû
qu'il doive	qu'il	ait	dû
que n. devions	que n. ayons		dû
que v. deviez	que v. ayez		dû
qu'ils doivent	qu'ils aient		dû

Imparfait	Plus-que-parfait		
que je dusse	que j'	eusse	dû
que tu dusses	que tu eusses		dû
qu'il dût	qu'il	eût	dû
que n. dussions	que n. eussions	dû
que v. dussiez	que v. eussiez	dû
qu'ils dussent	qu'ils eussent	dû

IMPÉRATIF

Présent	Passé	
dois	aie	dû
devons	ayons	dû
devez	ayez	dû

CONDITIONNEL

Présent		Passé 1re forme		
je	devrais	j'	aurais	dû
tu	devrais	tu	aurais	dû
il	devrait	il	aurait	dû
n.	devrions	n.	aurions	dû
v.	devriez	v.	auriez	dû
ils	devraient	ils	auraient	dû

Passé 2e forme		
j'	eusse	dû
tu	eusses	dû
il	eût	dû
n.	eussions	dû
v.	eussiez	dû
ils	eussent	dû

INFINITIF

Présent	Passé
devoir	avoir dû

PARTICIPE

Présent	Passé
devant	dû, ue
	ayant dû

Ainsi se conjuguent **devoir** et **redevoir** qui prennent un accent circonflexe au participe passé *masculin singulier* seulement : *dû, redû*. Mais on écrit sans accent : *due, dus, dues ; redue, redus, redues*. L'impératif est peu usité.

INDICATIF

Présent		Passé composé	
je	peux	j' ai	pu
ou je	puis	tu as	pu
tu	peux	il a	pu
il	peut	n. avons	pu
nous	pouvons	v. avez	pu
vous	pouvez	ils ont	pu
ils	peuvent		

Imparfait		Plus-que-parfait	
je	pouvais	j' avais	pu
tu	pouvais	tu avais	pu
il	pouvait	il avait	pu
nous	pouvions	n. avions	pu
vous	pouviez	v. aviez	pu
ils	pouvaient	ils avaient	pu

Passé simple		Passé antérieur	
je	pus	j' eus	pu
tu	pus	tu eus	pu
il	put	il eut	pu
nous	pûmes	n. eûmes	pu
vous	pûtes	v. eûtes	pu
ils	purent	ils eurent	pu

Futur simple		Futur antérieur	
je	pourrai	j' aurai	pu
tu	pourras	tu auras	pu
il	pourra	il aura	pu
nous	pourrons	n. aurons	pu
vous	pourrez	v. aurez	pu
ils	pourront	ils auront	pu

SUBJONCTIF

Présent	Passé	
que je puisse	que j' aie	pu
que tu puisses	que tu aies	pu
qu'il puisse	qu'il ait	pu
que n. puissions	que n. ayons	pu
que v. puissiez	que v. ayez	pu
qu'ils puissent	qu'ils aient	pu

Imparfait	Plus-que-parfait	
que je pusse	que j' eusse	pu
que tu pusses	que tu eusses	pu
qu'il pût	qu'il eût	pu
que n. pussions	que n. eussions	pu
que v. pussiez	que v. eussiez	pu
qu'ils pussent	qu'ils eussent	pu

IMPÉRATIF

pas d'impératif

CONDITIONNEL

Présent		Passé 1re forme	
je	pourrais	j' aurais	pu
tu	pourrais	tu aurais	pu
il	pourrait	il aurait	pu
n.	pourrions	n. aurions	pu
v.	pourriez	v. auriez	pu
ils	pourraient	ils auraient	pu

Passé 2e forme	
j' eusse	pu
tu eusses	pu
il eût	pu
n. eussions	pu
v. eussiez	pu
ils eussent	pu

INFINITIF

Présent	Passé
pouvoir	avoir pu

PARTICIPE

Présent	Passé
pouvant	pu
	ayant pu

Remarques. Le verbe **pouvoir** prend deux **r** au futur et au présent du conditionnel, mais, à la différence de **mourir** et **courir**, on n'en prononce qu'un.
Je puis semble d'un emploi plus distingué que *je peux*. On ne dit pas : *peux-je ?* mais *puis-je ?*
Il se peut que se dit pour *il peut se faire que* au sens de *il peut arriver que, il est possible que.* Il se construit alors normalement avec le subjonctif.

INDICATIF

Présent		Passé composé	
	meus	j' ai	mû
	meus	tu as	mû
	meut	il a	mû
nous	mouvons	n. avons	mû
ous	mouvez	v. avez	mû
s	meuvent	ils ont	mû

Imparfait		Plus-que-parfait	
	mouvais	j' avais	mû
	mouvais	tu avais	mû
	mouvait	il avait	mû
ous	mouvions	n. avions	mû
ous	mouviez	v. aviez	mû
s	mouvaient	ils avaient	mû

Passé simple		Passé antérieur	
e	mus	j' eus	mû
u	mus	tu eus	mû
	mut	il eut	mû
ous	mûmes	n. eûmes	mû
ous	mûtes	v. eûtes	mû
s	murent	ils eurent	mû

Futur simple		Futur antérieur	
e	mouvrai	j' aurai	mû
u	mouvras	tu auras	mû
	mouvra	il aura	mû
nous	mouvrons	n. aurons	mû
vous	mouvrez	v. aurez	mû
ls	mouvront	ils auront	mû

SUBJONCTIF

Présent	Passé	
que je meuve	que j' aie	mû
que tu meuves	que tu aies	mû
qu'il meuve	qu'il ait	mû
que n. mouvions	que n. ayons	mû
que v. mouviez	que v. ayez	mû
qu'ils meuvent	qu'ils aient	mû

Imparfait	Plus-que-parfait	
que je musse	que j' eusse	mû
que tu musses	que tu eusses	mû
qu'il mût	qu'il eût	mû
que n. mussions	que n. eussions	mû
que v. mussiez	que v. eussiez	mû
qu'ils mussent	qu'ils eussent	mû

IMPÉRATIF

Présent	Passé	
meus	aie	mû
mouvons	ayons	mû
mouvez	ayez	mû

CONDITIONNEL

Présent		Passé 1re forme		
je	mouvrais	j'	aurais	mû
tu	mouvrais	tu	aurais	mû
il	mouvrait	il	aurait	mû
n.	mouvrions	n.	aurions	mû
v.	mouvriez	v.	auriez	mû
ils	mouvraient	ils	auraient	mû

Passé 2e forme		
j'	eusse	mû
tu	eusses	mû
il	eût	mû
n.	eussions	mû
v.	eussiez	mû
ils	eussent	mû

INFINITIF

Présent	Passé
mouvoir	avoir mû

PARTICIPE

Présent	Passé
mouvant	mû, ue
	ayant mû

Émouvoir se conjugue sur **mouvoir,** mais son participe passé masculin singulier : *ému* ne prend pas l'accent circonflexe.
Promouvoir se conjugue comme **mouvoir,** mais son participe *promu* ne prend pas l'accent circonflexe au masculin singulier. Ce verbe ne s'emploie guère qu'à l'infinitif, au participe passé et aux temps composés. L'acception publicitaire et commerciale favorise depuis peu les autres formes.

INDICATIF		SUBJONCTIF	
Présent	*Passé composé*	*Présent*	*Passé*
il pleut	il a plu	qu'il pleuve	qu'il ait plu
Imparfait	*Plus-que-parfait*	*Imparfait*	*Plus-que-parfait*
il pleuvait	il avait plu	qu'il plût	qu'il eût plu
Passé simple	*Passé antérieur*	IMPÉRATIF	
il plut	il eut plu	*pas d'impératif*	
Futur simple	*Futur antérieur*	CONDITIONNEL	
il pleuvra	il aura plu	*Présent*	*Passé 1re forme*
		il pleuvrait	il aurait plu

INFINITIF		PARTICIPE		*Passé 2e forme*
Présent	*Passé*	*Présent*	*Passé*	il eût plu
pleuvoir	avoir plu	pleuvant	plu ayant plu	

Nota. Quoique impersonnel, ce verbe s'emploie au pluriel, mais dans le sens figuré : **Les coups de fusil** *pleuvent,* **les sarcasmes** *pleuvent* **sur lui, les honneurs** *pleuvaient* **sur sa personne.** De même, son participe présent ne s'emploie qu'au sens figuré : *les coups pleuvant sur lui, ...*

INDICATIF		SUBJONCTIF	
Présent	*Passé composé*	*Présent*	*Passé*
il faut	il a fallu	qu'il faille	qu'il ait fallu
Imparfait	*Plus-que-parfait*	*Imparfait*	*Plus-que-parfait*
il fallait	il avait fallu	qu'il fallût	qu'il eût fallu
Passé simple	*Passé antérieur*	**IMPÉRATIF**	
il fallut	il eut fallu	*pas d'impératif*	
Futur simple	*Futur antérieur*	**CONDITIONNEL**	
il faudra	il aura fallu	*Présent*	*Passé 1ʳᵉ forme*
		il faudrait	il aurait fallu

INFINITIF		PARTICIPE	*Passé 2ᵉ forme*
Présent		*Passé*	il eût fallu
falloir		fallu	

Dans les expressions : *il s'en faut de beaucoup, tant s'en faut, peu s'en faut,* la forme **faut** vient, non de **falloir,** mais de **faillir,** au sens de *manquer, faire défaut.*

47 VERBE VALOIR

INDICATIF

Présent		Passé composé	
je	vaux	j' ai	valu
tu	vaux	tu as	valu
il	vaut	il a	valu
nous	valons	n. avons	valu
vous	valez	v. avez	valu
ils	valent	ils ont	valu

Imparfait		Plus-que-parfait	
je	valais	j' avais	valu
tu	valais	tu avais	valu
il	valait	il avait	valu
nous	valions	n. avions	valu
vous	valiez	v. aviez	valu
ils	valaient	ils avaient	valu

Passé simple		Passé antérieur	
je	valus	j' eus	valu
tu	valus	tu eus	valu
il	valut	il eut	valu
nous	valûmes	n. eûmes	valu
vous	valûtes	v. eûtes	valu
ils	valurent	ils eurent	valu

Futur simple		Futur antérieur	
je	vaudrai	j' aurai	valu
tu	vaudras	tu auras	valu
il	vaudra	il aura	valu
nous	vaudrons	n. aurons	valu
vous	vaudrez	v. aurez	valu
ils	vaudront	ils auront	valu

SUBJONCTIF

Présent	Passé	
que je vaille	que j' aie	valu
que tu vailles	que tu aies	valu
qu'il vaille	qu'il ait	valu
que n. valions	que n. ayons	valu
que v. valiez	que v. ayez	valu
qu'ils vaillent	qu'ils aient	valu

Imparfait	Plus-que-parfait	
que je valusse	que j' eusse	valu
que tu valusses	que tu eusses	valu
qu'il valût	qu'il eût	valu
que n. valussions	que n. eussions	valu
que v. valussiez	que v. eussiez	valu
qu'ils valussent	qu'ils eussent	valu

IMPÉRATIF

Présent	Passé	
vaux	aie	valu
valons	ayons	valu
valez	ayez	valu

CONDITIONNEL

Présent		Passé 1re forme	
je	vaudrais	j'	aurais	valu
tu	vaudrais	tu	aurais	valu
il	vaudrait	il	aurait	valu
n.	vaudrions	n.	aurions	valu
v.	vaudriez	v.	auriez	valu
ils	vaudraient	ils	auraient valu

Passé 2e forme	
j'	eusse	valu
tu	eusses	valu
il	eût	valu
n.	eussions	valu
v.	eussiez	valu
ils	eussent	valu

INFINITIF

Présent	Passé
valoir	avoir valu

PARTICIPE

Présent	Passé
valant	valu, ue
	ayant valu

Ainsi se conjuguent **équivaloir, prévaloir, revaloir,** mais au subjonctif présent **prévaloir** fait : *que je prévale... que nous prévalions... Il ne faut pas que la coutume prévale sur la raison* (Ac.).
A la forme pronominale le participe passé s'accorde : *Elle s'est prévalue de ses droits.*

INDICATIF

Présent	Passé composé	
je veux	j' ai	voulu
tu veux	tu as	voulu
il veut	il a	voulu
nous voulons	n. avons	voulu
vous voulez	v. avez	voulu
ils veulent	ils ont	voulu

Imparfait	Plus-que-parfait	
je voulais	j' avais	voulu
tu voulais	tu avais	voulu
il voulait	il avait	voulu
nous voulions	n. avions	voulu
vous vouliez	v. aviez	voulu
ils voulaient	ils avaient	voulu

Passé simple	Passé antérieur	
je voulus	j' eus	voulu
tu voulus	tu eus	voulu
il voulut	il eut	voulu
nous voulûmes	n. eûmes	voulu
vous voulûtes	v. eûtes	voulu
ils voulurent	ils eurent	voulu

Futur simple	Futur antérieur	
je voudrai	j' aurai	voulu
tu voudras	tu auras	voulu
il voudra	il aura	voulu
nous voudrons	n. aurons	voulu
vous voudrez	v. aurez	voulu
ils voudront	ils auront	voulu

SUBJONCTIF

Présent	Passé	
que je veuille	que j' aie	voulu
que tu veuilles	que tu aies	voulu
qu'il veuille	qu'il ait	voulu
que n. voulions	que n. ayons	voulu
que v. vouliez	que v. ayez	voulu
qu'ils veuillent	qu'ils aient	voulu

Imparfait	Plus-que-parfait	
que je voulusse	que j' eusse	voulu
que tu voulusses	que tu eusses	voulu
qu'il voulût	qu'il eût	voulu
que n. voulussions	que n. eussions	voulu
que v. voulussiez	que v. eussiez	voulu
qu'ils voulussent	qu'ils eussent	voulu

IMPÉRATIF

Présent	Passé	
veux (veuille)	aie	voulu
voulons	ayons	voulu
voulez (veuillez)	ayez	voulu

CONDITIONNEL

Présent	Passé 1ᵉ forme	
je voudrais	j' aurais	voulu
tu voudrais	tu aurais	voulu
il voudrait	Il aurait	voulu
n. voudrions	n. aurions	voulu
v. voudriez	v. auriez	voulu
ils voudraient	ils auraient	voulu

Passé 2ᵉ forme	
j' eusse	voulu
tu eusses	voulu
il eût	voulu
n. eussions	voulu
v. eussiez	voulu
ils eussent	voulu

INFINITIF

Présent	Passé
vouloir	avoir voulu

PARTICIPE

Présent	Passé
voulant	voulu, ue
	ayant voulu

L'impératif *veux, voulons, voulez*, n'est d'usage que dans certaines occasions très rares où l'on engage à s'armer d'une ferme volonté : *Veux donc, malheureux, et tu seras sauvé.* Mais pour inviter poliment, on dit *veuille, veuillez*, au sens de : *aie, ayez la bonté de : Veuillez agréer mes respectueuses salutations.* Au subjonctif présent les formes primitives : *que nous voulions, que vous vouliez*, reprennent le pas sur : *que nous veuillions, que vous veuilliez* senties comme anciennes et recherchées.
Avec le pronom adverbial **en** qui donne à ce verbe le sens de : *avoir du ressentiment*, on trouve couramment : *ne m'en veux pas, ne m'en voulez pas*, alors que la langue littéraire préfère *ne m'en veuille pas, ne m'en veuillez pas*.

49 VERBE ASSEOIR

Présent

j'	assieds	
tu	assieds	
il	assied	
nous	asseyons	
vous	asseyez	
ils	asseyent	

ou

j'	ass ois	
tu	ass ois	
il	ass oit	
nous	ass oyons	
vous	ass oyez	
ils	ass oient	

Futur simple

j'	assiérai
tu	assiéras
il	assiéra
n.	assiérons
v.	assiérez
ils	assiéront

ou

j'	ass oirai
tu	ass oiras
il	ass oira
n.	ass oirons
v.	ass oirez
ils	ass oiront

Imparfait

j'	asseyais
tu	asseyais
il	asseyait
nous	asseyions
vous	asseyiez
ils	asseyaient

ou

j'	ass oyais
tu	ass oyais
il	ass oyait
nous	ass oyions
vous	ass oyiez
ils	ass oyaient

Passé composé

j'	ai	assis
tu	as	assis
il	a	a ssis
n.	avons	assis
v.	avez	assis
ils	ont	assis

Plus-que-parfait

j'	avais	assis
tu	avais	assis
il	avait	assis
n.	avions	assis
v.	aviez	assis
ils	avaient	assis

Passé simple

j'	ass is
tu	ass is
il	ass it
nous	ass îmes
vous	ass îtes
ils	ass irent

Passé antérieur

j'	eus	assis
tu	eus	assis
il	eut	assis
n.	eûmes	assis
v.	eûtes	assis
ils	eurent	assis

Futur antérieur

j'	aurai	assis
tu	auras	assis
il	aura	assis
n.	aurons	assis
v.	aurez	assis
ils	auront	assis

Présent

que j'	asseye	
que tu	asseyes	
qu'il	asseye	
que n.	asseyions	
que v.	asseyiez	
qu'ils	asseyent	

ou

que j'	ass oie
que tu	ass oies
qu'il	ass oie
que n.	ass oyions
que v.	ass oyiez
qu'ils	ass oient

Imparfait

que j'	ass isse
que tu	ass isses
qu'il	ass ît
que n.	ass issions
que v.	ass issiez
qu'ils	ass issent

Passé

que j'	aie	assis
que tu	aies	assis
qu'il	ait	assis
que n.	ayons	assis
que v.	ayez	assis
qu'ils	aient	assis

Plus-que-parfait

que j'	eusse	assis
que tu	eusses	assis
qu'il	eût	assis
que n.	eussions	assis
que v.	eussiee	assis
qu'ils	eussent	assis

Présent   *ou*   **Passé**

assieds	ass ois	aie	assis
asseyons	ass oyons	ayons	assis
asseyez	ass oyez	ayez	assis

Présent

j'	assiérais
tu	assiérais
il	assiérait
n	assiérions
v	assiériez
ils	assiéraient

ou

j'	ass oirais
tu	ass oirais
il	ass oirait
n.	ass oirions
v.	ass oiriez
ils	ass oiraient

Passé 1re forme

j'	aurais	assis
tu	aurais	assis
il	aurait	assis
n.	aurions	assis
v.	auriez	assis
ils	auraient	assis

Passé 2e forme

j'	eusse	assis
tu	eusses	assis
il	eût	assis
n.	eussions	assis
v.	eussiez	assis
ils	eussent	assis

INFINITIF		**PARTICIPE**	
Présent	*Passé*	*Présent*	*Passé*
ass eoir	avoir assis	ass eyant ou ass oyant	assis, ise ayant assis

Ce verbe se conjugue surtout à la forme pronominale : **s'asseoir;** l'infinitif *asseoir* s'orthographie avec un **e** étymologique, à la différence de l'indicatif présent : *j'assois* et futur : *j'assoirai.* Les formes en **ie** et en **ey** sont préférables aux formes en **oi** moins distinguées. Le futur et le conditionnel : *j'asseyerai..., j'asseyerais...,* sont actuellement sortis de l'usage.

VERBE **SEOIR** : CONVENIR

INDICATIF			**SUBJONCTIF**
Présent	*Imparfait*	*Futur*	*Présent*
il sied	il seyait	il siéra	qu'il siée
ils siéent	ils seyaient	ils siéront	qu'ils siéent

CONDITIONNEL	**INFINITIF**	**PARTICIPE**
Présent	*Présent*	*Présent*
il siérait	seoir	séant (seyant)
ils siéraient		

Remarque : Ce verbe n'a pas de temps composés.

Le verbe **SEOIR** dans le sens d'**être assis, prendre séance,** n'existe qu'aux formes suivantes :
PARTICIPE présent : *séant* (employé parfois comme nom : cf. « *sur son séant* »).
PARTICIPE passé : *sis, sise* qui ne s'emploie plus guère qu'adjectivement en style de barreau au lieu de *situé, située : Hôtel sis à Paris.*

VERBE **MESSEOIR** : N'ÊTRE PAS CONVENABLE

INDICATIF			**SUBJONCTIF**
Présent	*Imparfait*	*Futur*	*Présent*
il messied	il messeyait	il messiéra	qu'il messiée
ils messiéent	ils messeyaient	ils messiéront	qu'ils messiéent

CONDITIONNEL	**INFINITIF**	**PARTICIPE**
Présent	*Présent*	*Présent*
il messiérait	messeoir	messéant
ils messiéraient		

Remarque : Ce verbe n'a pas de temps composés.

51 VERBE **SURSEOIR**

INDICATIF

Présent		Passé composé		
je	sursois	j'	ai	sursis
tu	sursois	tu	as	sursis
il	sursoit	il	a	sursis
nous	sursoyons	n.	avons	sursis
vous	sursoyez	v.	avez	sursis
ils	sursoient	ils	ont	sursis

Imparfait		Plus-que-parfait		
je	sursoyais	j'	avais	sursis
tu	sursoyais	tu	avais	sursis
il	sursoyait	il	avait	sursis
nous	sursoyions	n.	avions	sursis
vous	sursoyiez	v.	aviez	sursis
ils	sursoyaient	ils	avaient	sursis

Passé simple		Passé antérieur		
je	sursis	j'	eus	sursis
tu	sursis	tu	eus	sursis
il	sursit	il	eut	sursis
nous	sursîmes	n.	eûmes	sursis
vous	sursîtes	v.	eûtes	sursis
ils	sursirent	ils	eurent	sursis

Futur simple		Futur antérieur		
je	surseoirai	j'	aurai	sursis
tu	surseoiras	tu	auras	sursis
il	surseoira	il	aura	sursis
nous	surseoirons	n.	aurons	sursis
vous	surseoirez	v.	aurez	sursis
ils	surseoiront	ils	auront	sursis

SUBJONCTIF

Présent		Passé		
que je	sursoie	que j'	aie	sursis
que tu	sursoies	que tu	aies	sursis
qu'il	sursoie	qu'il	ait	sursis
que n.	sursoyions	que n.	ayons	sursis
que v.	sursoyiez	que v.	ayez	sursis
qu'ils	sursoient	qu'ils	aient	sursis

Imparfait		Plus-que-parfait		
que je	sursisse	que j'	eusse	sursis
que tu	sursisses	que tu	eusses	sursis
qu'il	sursît	qu'il	eût	sursis
que n.	sursissions	que n.	eussions	sursis
que v.	sursissiez	que v.	eussiez	sursis
qu'ils	sursissent	qu'ils	eussent	sursis

IMPÉRATIF

Présent	Passé	
sursois	aie	sursis
sursoyons	ayons	sursis
sursoyez	ayez	sursis

CONDITIONNEL

Présent		Passé 1ʳᵉ forme		
je	surseoirais	j'	aurais	sursis
tu	surseoirais	tu	aurais	sursis
il	surseoirait	il	aurait	sursis
n.	surseoirions	n.	aurions	sursis
v.	surseoiriez	v.	auriez	sursis
ils	surseoiraient	ils	auraient	sursis

Passé 2ᵉ forme		
j'	eusse	sursis
tu	eusses	sursis
il	eût	sursis
n.	eussions	sursis
v.	eussiez	sursis
ils	eussent	sursis

INFINITIF

Présent	Passé
surseoir	avoir sursis

PARTICIPE

Présent	Passé
sursoyant	sursis, ise
	ayant sursis

Surseoir a généralisé les formes en **oi** du verbe **asseoir,** avec cette particularité que l'**e** de l'infinitif se retrouve au futur et au conditionnel : *je surseoirai, je surseoirais.*

INDICATIF			SUBJONCTIF
Présent	*Passé simple*	*Futur simple*	*Imparfait*
je chois	je chus	je choirai, etc.	qu'il chût
tu chois	il chut, etc.	*je cherrai*	
il choit			
ils choient			

CONDITIONNEL	INFINITIF	PARTICIPE
Présent	*Présent*	*Passé*
je choirais, etc.	choir	chu, chue
je cherrais		

VERBE **ÉCHOIR** (temps simples)

INDICATIF			SUBJONCTIF
Présent	*Passé simple*	*Futur simple*	*Présent :* qu'il échoie
il échoit	il échut	il échoira	*Imparfait :* qu'il échût
il échet	ils échurent	*il écherra*	
ils échoient		ils échoiront	
ils échéent		*ils écherront*	

CONDITIONNEL	INFINITIF	PARTICIPE
Présent	*Présent*	*Présent :* échéant
il échoirait	échoir	*Passé :* échu, échue
il écherrait		
ils échoiraient		
ils écherraient		

VERBE **DÉCHOIR** (temps simples)

INDICATIF			SUBJONCTIF
Présent	*Passé simple*	*Futur simple*	*Présent*
je déchois	je déchus	je déchoirai, etc.	que je déchoie
tu déchois	tu déchus	*je décherrai*	que n. déchoyions, etc.
il déchoit	il déchut		
il déchet	nous déchûmes		*Imparfait*
nous déchoyons	vous déchûtes		
vous déchoyez	ils déchurent		que je déchusse, etc.
ils déchoient			

CONDITIONNEL	INFINITIF	PARTICIPE
Présent	*Présent*	*Passé*
je déchoirais, etc.	déchoir	déchu, déchue
je décherrais		

Les formes en italique sont tout à fait désuètes.
Aux temps composés, **choir** et **échoir** prennent l'auxiliaire **être** : *il est chu, il est échu*. **Déchoir** utilise tantôt **être**, tantôt **avoir** selon que l'on veut insister sur l'action ou sur son résultat : *Il a déchu rapidement ; il est définitivement déchu.*

53 VERBES EN -DRE : RENDRE
VERBES EN -ANDRE, -ENDRE, -ONDRE, -ERDRE, -ORDRE[1]

INDICATIF

Présent		Passé composé	
je	ren ds	j' ai	rendu
tu	ren ds	tu as	rendu
il ·	ren d	il a	rendu
nous	ren dons	n. avons	rendu
vous	ren dez	v. avez	rendu
ils	ren dent	ils ont	rendu

Imparfait		Plus-que-parfait	
je	ren dais	j' avais	rendu
tu	ren dais	tu avais	rendu
il	ren dait	il avait	rendu
nous	ren dions	n. avions	rendu
vous	ren diez	v. aviez	rendu
ils	ren daient	ils avaient	rendu

Passé simple		Passé antérieur	
je	ren dis	j' eus	rendu
tu	ren dis	tu eus	rendu
il	ren dit	il eut	rendu
nous	ren dîmes	n. eûmes	rendu
vous	ren dîtes	v. eûtes	rendu
ils	ren dirent	ils eurent	rendu

Futur simple		Futur antérieur	
je	ren drai	j' aurai	rendu
tu	ren dras	tu auras	rendu
il	ren dra	il aura	rendu
nous	ren drons	n. aurons	rendu
vous	ren drez	v. aurez	rendu
ils	ren dront	ils auront	rendu

SUBJONCTIF

Présent		Passé	
que je	ren de	que j'	aie rendu
que tu	ren des	que tu	aies rendu
qu'il	ren de	qu'il	ait rendu
que n.	ren dions	que n.	ayons rendu
que v.	ren diez	que v.	ayez rendu
qu'ils	ren dent	qu'ils	aient rendu

Imparfait		Plus-que-parfait	
que je	ren disse	que j'	eusse rendu
que tu	ren disses	que tu	eusses rendu
qu'il	ren dît	qu'il	eût rendu
que n.	ren dissions	que n.	eussions rendu
que v.	ren dissiez	que v.	eussiez rendu
qu'ils	ren dissent	qu'ils	eussent rendu

IMPÉRATIF

Présent	Passé	
ren ds	aie	rendu
ren dons	ayons	rendu
ren dez	ayez	rendu

CONDITIONNEL

Présent		Passé 1re forme	
je	ren drais	j'	aurais rendu
tu	ren drais	tu	aurais rendu
il	ren drait	il	aurait rendu
n.	ren drions	n.	aurions rendu
v.	ren driez	v.	auriez rendu
ils	ren draient	ils	auraient rendu

Passé 2e forme		
j'	eusse	rendu
tu	eusses	rendu
il	eût	rendu
n.	eussions	rendu
v.	eussiez	rendu
ils	eussent	rendu

INFINITIF

Présent	Passé
ren dre	avoir rendu

PARTICIPE

Présent	Passé
ren dant	ren du, ue
	ayant rendu

1. Voir page 98 la liste des nombreux verbes en **-dre** qui se conjuguent comme **rendre** (sauf **prendre** et ses composés : voir tableau 54). Ainsi se conjuguent en outre les verbes **rompre, corrompre** et **interrompre** dont la seule particularité est de prendre un **t** à la suite du **p** à la 3ᵉ personne du singulier de l'indicatif présent : *il rompt.*

Sur le même modèle, sauf pour la 1ʳᵉ et la 2ᵉ personne du singulier du présent de l'indicatif et pour l'impératif singulier **(je me fous, fous),** et en remplaçant ailleurs le **d** par un **t**, les verbes **foutre** et **contrefoutre** qui n'ont ni passé simple, ni passé antérieur à l'indicatif, ni imparfait ni plus-que-parfait au subjonctif.

INDICATIF

Présent		Passé composé	
je	pr ends	j' ai	pris
tu	pr ends	tu as	pris
il	pr end	il a	pris
nous	pr enons	n. avons	pris
vous	pr enez	v. avez	pris
ils	pr ennent	ils ont	pris

Imparfait		Plus-que-parfait	
je	pr enais	j' avais	pris
tu	pr enais	tu avais	pris
il	pr enait	il avait	pris
nous	pr enions	n. avions	pris
vous	pr eniez	v. aviez	pris
ils	pr enaient	ils avaient	pris

Passé simple		Passé antérieur	
je	pr is	j' eus	pris
tu	pr is	tu eus	pris
il	pr it	il eut	pris
nous	pr îmes	n. eûmes	pris
vous	pr îtes	v. eûtes	pris
ils	pr irent	ils eurent	pris

Futur simple		Futur antérieur	
je	pr endrai	j' aurai	pris
tu	pr endras	tu auras	pris
il	pr endra	il aura	pris
nous	pr endrons	n. aurons	pris
vous	pr endrez	v. aurez	pris
ils	pr endront	ils auront	pris

SUBJONCTIF

Présent		Passé		
que je	pr enne	que j'	aie	pris
que tu	pr ennes	que tu	aies	pris
qu'il	pr enne	qu'il	ait	pris
que n.	pr enions	que n.	ayons	pris
que v.	pr eniez	que v.	ayez	pris
qu'ils	pr ennent	qu'ils	aient	pris

Imparfait		Plus-que-parfait		
que je	pr isse	que j'	eusse	pris
que tu	pr isses	que tu	eusses	pris
qu'il	pr ît	qu'il	eût	pris
que n.	pr issions	que n.	eussions	pris
que v.	pr issiez	que v.	eussiez	pris
qu'ils	pr issent	qu'ils	eussent	pris

IMPÉRATIF

Présent	Passé	
pr ends	aie	pris
pr enons	ayons	pris
pr enez	ayez	pris

CONDITIONNEL

Présent		Passé 1re forme		
je	pr endrais	j'	aurais	pris
tu	pr endrais	tu	aurais	pris
il	pr endrait	il	aurait	pris
n.	pr endrions	n.	aurions	pris
v.	pr endriez	v.	auriez	pris
ils	pr endraient	ils	auraient	pris

Passé 2e forme		
j'	eusse	pris
tu	eusses	pris
il	eût	pris
n.	eussions	pris
v.	eussiez	pris
ils	eussent	pris

INFINITIF

Présent	Passé
pr endre	avoir pris

PARTICIPE

Présent	Passé
pr enant	pr is, pr ise
	ayant pris

Ainsi se conjuguent les composés de **prendre** (page 98).

55 VERBE **BATTRE**

INDICATIF

Présent		Passé composé		
je	bats	j'	ai	battu
tu	bats	tu as		battu
il	bat	il	a	battu
nous	battons	n.	avons	battu
vous	battez	v.	avez	battu
ils	battent	ils ont		battu

Imparfait		Plus-que-parfait		
je	battais	j'	avais	battu
tu	battais	tu avais		battu
il	battait	il	avait	battu
nous	battions	n.	avions	battu
vous	battiez	v.	aviez	battu
ils	battaient	ils avaient		battu

Passé simple		Passé antérieur		
je	battis	j'	eus	battu
tu	battis	tu eus		battu
il	battit	il	eut	battu
nous	battîmes	n.	eûmes	battu
vous	battîtes	v.	eûtes	battu
ils	battirent	ils eurent		battu

Futur simple		Futur antérieur		
je	battrai	j'	aurai	battu
tu	battras	tu auras		battu
il	battra	il	aura	battu
nous	battrons	n.	aurons	battu
vous	battrez	v.	aurez	battu
ils	battront	ils auront		battu

SUBJONCTIF

Présent		Passé		
que je batte		que j'	aie	battu
que tu battes		que tu aies		battu
qu'il	batte	qu'il	ait	battu
que n. battions		que n. ayons		battu
que v. battiez		que v. ayez		battu
qu'ils battent		qu'ils aient		battu

Imparfait		Plus-que-parfait		
que je battisse		que j'	eusse	battu
que tu battisses		que tu eusses		battu
qu'il	battît	qu'il	eût	battu
que n. battissions		que n. eussions battu		
que v. battissiez		que v. eussiez		battu
qu'ils battissent		qu'ils eussent		battu

IMPÉRATIF

Présent	Passé	
bats	aie	battu
battons	ayons	battu
battez	ayez	battu

CONDITIONNEL

Présent		Passé 1re forme		
je	battrais	j'	aurais	battu
tu	battrais	tu aurais		battu
il	battrait	il	aurait	battu
n.	battrions	n.	aurions	battu
v.	battriez	v.	auriez	battu
ils	battraient	ils auraient		battu

Passé 2e forme		
j'	eusse	battu
tu	eusses	battu
il	eût	battu
n.	eussions	battu
v.	eussiez	battu
ils	eussent	battu

INFINITIF

Présent	Passé
battre	avoir battu

PARTICIPE

Présent	Passé
battant	battu, ue
	ayant battu

Ainsi se conjuguent les composés de **battre** (page 99).

INDICATIF

Présent		Passé composé	
je	mets	j' ai	mis
tu	mets	tu as	mis
il	met	il a	mis
nous	mettons	n. avons	mis
vous	mettez	v. avez	mis
ils	mettent	ils ont	mis

Imparfait		Plus-que-parfait	
je	mettais	j' avais	mis
tu	mettais	tu avais	mis
il	mettait	il avait	mis
nous	mettions	n. avions	mis
vous	mettiez	v. aviez	mis
ils	mettaient	ils avaient	mis

Passé simple		Passé antérieur	
je	mis	j' eus	mis
tu	mis	tu eus	mis
il	mit	il eut	mis
nous	mîmes	n. eûmes	mis
vous	mîtes	v. eûtes	mis
ils	mirent	ils eurent	mis

Futur simple		Futur antérieur	
je	mettrai	j' aurai	mis
tu	mettras	tu auras	mis
il	mettra	il aura	mis
nous	mettrons	n. aurons	mis
vous	mettrez	v. aurez	mis
ils	mettront	ils auront	mis

SUBJONCTIF

Présent		Passé	
que je	mette	que j'	aie	mis
que tu	mettes	que tu	aies	mis
qu'il	mette	qu'il	ait	mis
que n.	mettions	que n.	ayons	mis
que v.	mettiez	que v.	ayez	mis
qu'ils	mettent	qu'ils	aient	mis

Imparfait		Plus-que-parfait	
que je	misse	que j'	eusse	mis
que tu	misses	que tu	eusses	mis
qu'il	mît	qu'il	eût	mis
que n.	missions	que n.	eussions	mis
que v.	missiez	que v.	eussiez	mis
qu'ils	missent	qu'ils	eussent	mis

IMPÉRATIF

Présent	Passé	
mets	aie	mis
mettons	ayons	mis
mettez	ayez	mis

CONDITIONNEL

Présent		Passé 1re forme	
je	mettrais	j'	aurais	mis
tu	mettrais	tu	aurais	mis
il	mettrait	il	aurait	mis
n.	mettrions	n.	aurions	mis
v.	mettriez	v.	auriez	mis
ils	mettraient	ils	auraient	mis

Passé 2e forme		
j'	eusse	mis
tu	eusses	mis
il	eût	mis
n.	eussions	mis
v.	eussiez	mis
ils	eussent	mis

INFINITIF

Présent	Passé
mettre	avoir mis

PARTICIPE

Présent	Passé
mettant	mis, ise
	ayant mis

Ainsi se conjuguent les composés de **mettre** (page 99).

57 VERBES EN -EINDRE : PEINDRE

INDICATIF

Présent		**Passé composé**	
je	p eins	j' ai	peint
tu	p eins	tu as	peint
il	p eint	il a	peint
nous	p eignons	n. avons	peint
vous	p eignez	v. avez	peint
ils	p eignent	ils ont	peint

Imparfait		**Plus-que-parfait**	
je	p eignais	j' avais	peint
tu	p eignais	tu avais	peint
il	p eignait	il avait	peint
nous	p eignions	n. avions	peint
vous	p eigniez	v. aviez	peint
ils	p eignaient	ils avaient	peint

Passé simple		**Passé antérieur**	
je	p eignis	j' eus	peint
tu	p eignis	tu eus	peint
il	p eignit	il eut	peint
nous	p eignîmes	n. eûmes	peint
vous	p eignîtes	v. eûtes	peint
ils	p eignirent	ils eurent	peint

Futur simple		**Futur antérieur**	
je	p eindrai	j' aurai	peint
tu	p eindras	tu auras	peint
il	p eindra	il aura	peint
nous	p eindrons	n. aurons	peint
vous	p eindrez	v. aurez	peint
ils	p eindront	ils auront	peint

SUBJONCTIF

Présent		**Passé**	
que je	p eigne	que j'	aie	peint
que tu	p eignes	que tu	aies	peint
qu'il	p eigne	qu'il	ait	peint
que n.	p eignions	que n.	ayons	peint
que v.	p eigniez	que v.	ayez	peint
qu'ils	p eignent	qu'ils	aient	peint

Imparfait		**Plus-que-parfait**	
que je	p eignisse	que j'	eusse	peint
que tu	p eignisses	que tu	eusses	peint
qu'il	p eignît	qu'il	eût	peint
que n.	p eignissions	que n.	eussions	peint
que v.	p eignissiez	que v.	eussiez	peint
qu'ils	p eignissent	qu'ils	eussent	peint

IMPÉRATIF

Présent	**Passé**	
p eins	aie	peint
p eignons	ayons	peint
p eignez	ayez	peint

CONDITIONNEL

Présent		**Passé 1ʳᵉ forme**	
je	p eindrais	j'	aurais	peint
tu	p eindrais	tu	aurais	peint
il	p eindrait	il	aurait	peint
n.	p eindrions	n.	aurions	peint
v.	p eindriez	v.	auriez	peint
ils	p eindraient	ils	auraient	peint

Passé 2ᵉ forme		
j'	eusse	peint
tu	eusses	peint
il	eût	peint
n.	eussions	peint
v.	eussiez	peint
ils	eussent	peint

INFINITIF

Présent	**Passé**
p eindre	avoir peint

PARTICIPE

Présent	**Passé**
p eignant	p eint, einte
	ayant peint

Ainsi se conjuguent **astreindre, atteindre, ceindre, feindre, enfreindre, empreindre, geindre, teindre** et leurs composés (page 99).

INDICATIF

Présent		Passé composé	
je	j oins	j' ai	joint
tu	j oins	tu as	joint
il	j oint	il a	joint
nous	j oignons	n. avons	joint
vous	j oignez	v. avez	joint
ils	j oignent	ils ont	joint

Imparfait		Plus-que-parfait	
je	j oignais	j' avais	joint
tu	j oignais	tu avais	joint
il	j oignait	il avait	joint
nous	j oignions	n. avions	joint
vous	j oigniez	v. aviez	joint
ils	j oignaient	ils avaient	joint

Passé simple		Passé antérieur	
je	j oignis	j' eus	joint
tu	j oignis	tu eus	joint
il	j oignit	il eut	joint
nous	j oignîmes	n. eûmes	joint
vous	j oignîtes	v. eûtes	joint
ils	j oignirent	ils eurent	joint

Futur simple		Futur antérieur	
je	j oindrai	j' aurai	joint
tu	j oindras	tu auras	joint
il	j oindra	il aura	joint
nous	j oindrons	n. aurons	joint
vous	j oindrez	v. aurez	joint
ils	j oindront	ils auront	joint

SUBJONCTIF

Présent		Passé	
que je	j oigne	que j' aie	joint
que tu	j oignes	que tu aies	joint
qu'il	j oigne	qu'il ait	joint
que n.	j oignions	que n. ayons	joint
que v.	j oigniez	que v. ayez	joint
qu'ils	j oignent	qu'ils aient	joint

Imparfait		Plus-que-parfait	
que je	j oignisse	que j' eusse	joint
que tu	j oignisses	que tu eusses	joint
qu'il	j oignît	qu'il eût	joint
que n.	j oignissions	que n. eussions	joint
que v.	j oignissiez	que v. eussiez	joint
qu'ils	j oignissent	qu'ils eussent	joint

IMPÉRATIF

Présent	Passé	
j oins	aie	joint
j oignons	ayons	joint
j oignez	ayez	joint

CONDITIONNEL

Présent		Passé 1re forme	
je	j oindrais	j' aurais	joint
tu	j oindrais	tu aurais	joint
il	j oindrait	il aurait	joint
n.	j oindrions	n. aurions	joint
v.	j oindriez	v. auriez	joint
ils	j oindraient	ils auraient	joint

Passé 2e forme		
j'	eusse	joint
tu	eusses	joint
il	eût	joint
n.	eussions	joint
v.	eussiez	joint
ils	eussent	joint

INFINITIF

Présent	Passé
j oindre	avoir joint

PARTICIPE

Présent	Passé
j oignant	j oint, te
	ayant joint

Ainsi se conjuguent les composés de **joindre** (page 99) et les verbes archaïques **poindre** et **oindre**. Au sens intransitif de **commencer à paraître,** poindre ne s'emploie qu'aux formes suivantes : *il point, il poindra, il poindrait, il a point . Quand l'aube poindra...;* on a tendance à lui substituer le verbe régulier **pointer**. Au sens transitif de *piquer : Poignez vilain, il vous oindra,* ce verbe est sorti de l'usage en cédant la place parfois à un néologisme insoutenable **poigner** fabriqué à partir de formes régulières de **poindre :** *il poignait, poignant.* Ce participe présent s'est d'ailleurs maintenu comme adjectif en se chargeant du sens d'*étreindre* (comme une *poigne?*).
Oindre est sorti de l'usage sauf à l'infinitif et au participe passé *oint, te.*

59 VERBES EN -AINDRE : CRAINDRE

INDICATIF

Présent		Passé composé	
je	cr ains	j' ai	craint
tu	cr ains	tu as	craint
il	cr aint	il a	craint
nous	cr aignons	n. avons	craint
vous	cr aignez	v. avez	craint
ils	cr aignent	ils ont	craint

Imparfait		Plus-que-parfait	
je	cr aignais	j' avais	craint
tu	cr aignais	tu avais	craint
il	cr aignait	il avait	craint
nous	cr aignions	n. avions	craint
vous	cr aigniez	v. aviez	craint
ils	cr aignaient	ils avaient	craint

Passé simple		Passé antérieur	
je	cr aignis	j' eus	craint
tu	cr aignis	tu eus	craint
il	cr aignit	il eut	craint
nous	cr aignîmes	n. eûmes	craint
vous	cr aignîtes	v. eûtes	craint
ils	cr aignirent	ils eurent	craint

Futur simple		Futur antérieur	
je	cr aindrai	j' aurai	craint
tu	cr aindras	tu auras	craint
il	cr aindra	il aura	craint
nous	cr aindrons	n. aurons	craint
vous	cr aindrez	v. aurez	craint
ils	cr aindront	ils auront	craint

SUBJONCTIF

Présent		Passé	
que je	cr aigne	que j'	aie	craint
que tu	cr aignes	que tu	aies	craint
qu'il	cr aigne	qu'il	ait	craint
que n.	cr aignions	que n.	ayons	craint
que v.	cr aigniez	que v.	ayez	craint
qu'ils	cr aignent	qu'ils	aient	craint

Imparfait		Plus-que-parfait	
que je	cr aignisse	que j'	eusse	craint
que tu	cr aignisses	que tu	eusses	craint
qu'il	cr aignît	qu'il	eût	craint
que n.	cr aignissions	que n.	eussions	craint
que v.	cr aignissiez	que v.	eussiez	craint
qu'ils	cr aignissent	qu'ils	eussent	craint

IMPÉRATIF

Présent	Passé	
cr ains	aie	craint
cr aignons	ayons	craint
cr aignez	ayez	craint

CONDITIONNEL

Présent		Passé 1re forme	
je	cr aindrais	j'	aurais	craint
tu	cr aindrais	tu	aurais	craint
il	cr aindrait	il	aurait	craint
n.	cr aindrions	n.	aurions	craint
v.	cr aindriez	v.	auriez	craint
ils	cr aindraient	ils	auraient	craint

Passé 2e forme		
j'	eusse	craint
tu	eusses	craint
il	eût	craint
n.	eussions	craint
v.	eussiez	craint
ils	eussent	craint

INFINITIF

Présent	Passé
cr aindre	avoir craint

PARTICIPE

Présent	Passé
cr aignant	cr aint, ainte
	ayant craint

Ainsi se conjuguent **contraindre** et **plaindre**.

INDICATIF

Présent		Passé composé	
je	vaincs	j' ai	vaincu
tu	vaincs	tu as	vaincu
il	vainc	il a	vaincu
nous	vainquons	n. avons	vaincu
vous	vainquez	v. avez	vaincu
ils	vainquent	ils ont	vaincu

Imparfait		Plus-que-parfait	
je	vainquais	j' avais	vaincu
tu	vainquais	tu avais	vaincu
il	vainquait	il avait	vaincu
nous	vainquions	n. avions	vaincu
vous	vainquiez	v. aviez	vaincu
ils	vainquaient	ils avaient	vaincu

Passé simple		Passé antérieur	
je	vainquis	j' eus	vaincu
tu	vainquis	tu eus	vaincu
il	vainquit	il eut	vaincu
nous	vainquîmes	n. eûmes	vaincu
vous	vainquîtes	v. eûtes	vaincu
ils	vainquirent	ils eurent	vaincu

Futur simple		Futur antérieur	
je	vaincrai	j' aurai	vaincu
tu	vaincras	tu auras	vaincu
il	vaincra	il aura	vaincu
nous	vaincrons	n. aurons	vaincu
vous	vaincrez	v. aurez	vaincu
ils	vaincront	ils auront	vaincu

INFINITIF

Présent	Passé
vaincre	avoir vaincu

SUBJONCTIF

Présent		Passé	
que je	vainque	que j' aie	vaincu
que tu	vainques	que tu aies	vaincu
qu'il	vainque	qu'il ait	vaincu
que n.	vainquions	que n. ayons	vaincu
que v.	vainquiez	que v. ayez	vaincu
qu'ils	vainquent	qu'ils aient	vaincu

Imparfait		Plus-que-parfait	
que je	vainquisse	que j' eusse	vaincu
que tu	vainquisses	que tu eusses	vaincu
qu'il	vainquît	qu'il eût	vaincu
que n.	vainquissions	que n. eussions	vaincu
que v.	vainquissiez	que v. eussiez	vaincu
qu'ils	vainquissent	qu'ils eussent	vaincu

IMPÉRATIF

Présent	Passé	
vaincs	aie	vaincu
vainquons	ayons	vaincu
vainquez	ayez	vaincu

CONDITIONNEL

Présent	Passé 1ʳᵉ forme	
je vaincrais	j' aurais	vaincu
tu vaincrais	tu aurais	vaincu
il vaincrait	il aurait	vaincu
n. vaincrions	n. aurions	vaincu
v. vaincriez	v. auriez	vaincu
ils vaincraient	ils auraient	vaincu

Passé 2ᵉ forme	
j' eusse	vaincu
tu eusses	vaincu
il eût	vaincu
n. eussions	vaincu
v. eussiez	vaincu
ils eussent	vaincu

PARTICIPE

Présent	Passé
vainquant	vaincu, ue
	ayant vaincu

Seule irrégularité du verbe *vaincre* : il ne prend pas le t final à la troisième personne du singulier du présent de l'indicatif : *il vainc.*
D'autre part devant une voyelle (sauf **u**) le **c** se change en **qu** : *nous vainquons.*
Ainsi se conjugue **convaincre.**

61 VERBE TRAIRE

INDICATIF

Présent		Passé composé	
je	trais	j' ai	trait
tu	trais	tu as	trait
il	trait	il a	trait
nous	trayons	n. avons	trait
vous	trayez	v. avez	trait
ils	traient	ils ont	trait

Imparfait		Plus-que-parfait	
je	trayais	j' avais	trait
tu	trayais	tu avais	trait
il	trayait	il avait	trait
nous	trayions	n. avions	trait
vous	trayiez	v. aviez	trait
ils	trayaient	ils avaient	trait

Passé simple	Passé antérieur	
	j' eus	trait
	tu eus	trait
N'existe pas	il eut	trait
	n. eûmes	trait
	v. eûtes	trait
	ils eurent	trait

Futur simple		Futur antérieur	
je	trairai	j' aurai	trait
tu	trairas	tu auras	trait
il	traira	il aura	trait
nous	trairons	n. aurons	trait
vous	trairez	v. aurez	trait
ils	trairont	ils auront	trait

SUBJONCTIF

Présent	Passé	
que je traie	que j' aie	trait
que tu traies	que tu aies	trait
qu'il traie	qu'il ait	trait
que n. trayions	que n. ayons	trait
que v. trayiez	que v. ayez	trait
qu'ils traient	qu'ils aient	trait

Imparfait	Plus-que-parfait	
	que j' eusse	trait
	que tu eusses	trait
	qu'il eût	trait
N'existe pas	que n. eussions	trait
	que v. eussiez	trait
	qu'ils eussent	trait

IMPÉRATIF

Présent	Passé	
trais	aie	trait
trayons	ayons	trait
trayez	ayez	trait

CONDITIONNEL

Présent		Passé 1ʳᵉ forme	
je	trairais	j' aurais	trait
tu	trairais	tu aurais	trait
il	trairait	il aurait	trait
n.	trairions	n. aurions	trait
v.	trairiez	v. auriez	trait
ils	trairaient	ils auraient	trait

Passé 2ᵉ forme		
j'	eusse	trait
tu	eusses	trait
il	eût	trait
n.	eussions	trait
v.	eussiez	trait
ils	eussent	trait

INFINITIF

Présent	Passé
traire	avoir trait

PARTICIPE

Présent	Passé
trayant	trait, aite
	ayant trait

Ainsi se conjuguent les composés de **traire** (au sens de *tirer*) comme **extraire, distraire,** etc. (voir page 99), de même le verbe braire qui ne s'emploie qu'aux 3ᵉˢ personnes de l'indicatif présent, du futur et du conditionnel.

INDICATIF

Présent		**Passé composé**	
je	fais	j' ai	fait
tu	fais	tu as	fait
il	fait	il a	fait
nous	faisons	n. avons	fait
vous	faites	v. avez	fait
ils	font	ils ont	fait

Imparfait		**Plus-que-parfait**	
je	faisais	j' avais	fait
tu	faisais	tu avais	fait
il	faisait	il avait	fait
nous	faisions	n. avions	fait
vous	faisiez	v. aviez	fait
ils	faisaient	ils avaient	fait

Passé simple		**Passé antérieur**	
je	fis	j' eus	fait
tu	fis	tu eus	fait
il	fit	il eut	fait
nous	fîmes	n. eûmes	fait
vous	fîtes	v. eûtes	fait
ils	firent	ils eurent	fait

Futur simple		**Futur antérieur**	
je	ferai	j' aurai	fait
tu	feras	tu auras	fait
il	fera	il aura	fait
nous	ferons	n. aurons	fait
vous	ferez	v. aurez	fait
ils	feront	ils auront	fait

SUBJONCTIF

Présent		**Passé**	
que je	fasse	que j' aie	fait
que tu	fasses	que tu aies	fait
qu'il	fasse	qu'il ait	fait
que n.	fassions	que n. ayons	fait
que v.	fassiez	que v. ayez	fait
qu'ils	fassent	qu'ils aient	fait

Imparfait		**Plus-que-parfait**	
que je	fisse	que j' eusse	fait
que tu	fisses	que tu eusses	fait
qu'il	fît	qu'il eût	fait
que n.	fissions	que n. eussions	fait
que v.	fissiez	que v. eussiez	fait
qu'ils	fissent	qu'ils eussent	fait

IMPÉRATIF

Présent	**Passé**	
fais	aie	fait
faisons	ayons	fait
faites	ayez	fait

CONDITIONNEL

Présent		**Passé 1ʳᵉ forme**	
je	ferais	j' aurais	fait
tu	ferais	tu aurais	fait
il	ferait	il aurait	fait
n.	ferions	n. aurions	fait
v.	feriez	v. auriez	fait
ils	feraient	ils auraient	fait

Passé 2ᵉ forme		
j'	eusse	fait
tu	eusses	fait
il	eût	fait
n.	eussions	fait
v.	eussiez	fait
ils	eussent	fait

INFINITIF

Présent	**Passé**
faire	avoir fait

PARTICIPE

Présent	**Passé**
faisant	fait, te
	ayant fait

Tout en écrivant **fai** on prononce *nous fesons, je fesais..., fesons, fesant;* en revanche on a aligné sur la prononciation l'orthographe de *je ferai..., je ferais...,* écrits avec un **e.** Noter les 2ᵉˢ personnes du pluriel *vous faites;* impératif : *faites. Vous faisez, faisez* sont de grossiers barbarismes. Ainsi se conjuguent les composés de **faire** (page 99).

63 VERBE **PLAIRE**

Présent		*Passé composé*	
je	plais	j' ai	plu
tu	plais	tu as	plu
il	plaît	il a	plu
nous	plaisons	n. avons	plu
vous	plaisez	v. avez	plu
ils	plaisent	ils ont	plu

Imparfait		*Plus-que-parfait*	
je	plaisais	j' avais	plu
tu	plaisais	tu avais	plu
il	plaisait	il avait	plu
nous	plaisions	n. avions	plu
vous	plaisiez	v. aviez	plu
ils	plaisaient	ils avaient	plu

Passé simple		*Passé antérieur*	
je	plus	j' eus	plu
tu	plus	tu eus	plu
il	plut	il eut	plu
nous	plûmes	n. eûmes	plu
vous	plûtes	v. eûtes	plu
ils	plurent	ils eurent	plu

Futur simple		*Futur antérieur*	
je	plairai	j' aurai	plu
tu	plairas	tu auras	plu
il	plaira	il aura	plu
nous	plairons	n. aurons	plu
vous	plairez	v. aurez	plu
ils	plairont	ils auront	plu

SUBJONCTIF

Présent		*Passé*	
que je	plaise	que j' aie	plu
que tu	plaises	que tu aies	plu
qu'il	plaise	qu'il ait	plu
que n.	plaisions	que n. ayons	plu
que v.	plaisiez	que v. ayez	plu
qu'ils	plaisent	qu'ils aient	plu

Imparfait		*Plus-que-parfait*	
que je	plusse	que j' eusse	plu
que tu	plusses	que tu eusses	plu
qu'il	plût	qu'il eût	plu
que n.	plussions	que n. eussions	plu
que v.	plussiez	que v. eussiez	plu
qu'ils	plussent	qu'ils eussent	plu

IMPÉRATIF

Présent	*Passé*	
plais	aie	plu
plaisons	ayons	plu
plaisez	ayez	plu

CONDITIONNEL

Présent		*Passé 1re forme*	
je	plairais	j' aurais	plu
tu	plairais	tu aurais	plu
il	plairait	il aurait	plu
n.	plairions	n. aurions	plu
v.	plairiez	v. auriez	plu
ils	plairaient	ils auraient	plu

Passé 2e forme		
j'	eusse	plu
tu	eusses	plu
il	eût	plu
n.	eussions	plu
v.	eussiez	plu
ils	eussent	plu

INFINITIF

Présent	*Passé*
plaire	avoir plu

PARTICIPE

Présent	*Passé*
plaisant	plu
	ayant plu

Ainsi se conjuguent **complaire** et **déplaire,** de même que taire qui, lui, ne prend pas d'accent circonflexe au présent de l'indicatif : *il tait* et qui a un participe passé variable : *Les plaintes se sont* **tues.**

INDICATIF

Présent

je	conn ais
tu	conn ais
il	conn aît
nous	conn aissons
vous	conn aissez
ils	conn aissent

Passé composé

j'	ai	connu
tu	as	connu
il	a	connu
n.	avons	connu
v.	avez	connu
ils	ont	connu

Imparfait

je	conn aissais
tu	conn aissais
il	conn aissait
nous	conn aissions
vous	conn aissiez
ils	conn aissaient

Plus-que-parfait

j'	avais	connu
tu	avais	connu
il	avait	connu
n.	avions	connu
v.	aviez	connu
ils	avaient	connu

Passé simple

je	conn us
tu	conn us
il	conn ut
nous	conn ûmes
vous	conn ûtes
ils	conn urent

Passé antérieur

j'	eus	connu
tu	eus	connu
il	eut	connu
n.	eûmes	connu
v.	eûtes	connu
ils	eurent	connu

Futur simple

je	conn aîtrai
tu	conn aîtras
il	conn aîtra
nous	conn aîtrons
vous	conn aîtrez
ils	conn aîtront

Futur antérieur

j'	aurai	connu
tu	auras	connu
il	aura	connu
n.	aurons	connu
v.	aurez	connu
ils	auront	connu

SUBJONCTIF

Présent

| que je conn aisse |
| que tu conn aisses |
| qu'il conn aisse |
| que n. conn aissions |
| que v. conn aissiez |
| qu'ils conn aissent |

Passé

que j'	aie	connu
que tu	aies	connu
qu'il	ait	connu
que n.	ayons	connu
que v.	ayez	connu
qu'ils	aient	connu

Imparfait

| que je conn usse |
| que tu conn usses |
| qu'il conn ût |
| que n. conn ussions |
| que v. conn ussiez |
| qu'ils conn ussent |

Plus-que-parfait

que j'	eusse	connu
que tu	eusses	connu
qu'il	eût	connu
que n.	eussions	connu
que v.	eussiez	connu
qu'ils	eussent	connu

IMPÉRATIF

Présent

conn ais
conn aissons
conn aissez

Passé

aie connu
ayons connu
ayez connu

CONDITIONNEL

Présent

je	conn aîtrais
tu	conn aîtrais
il	conn aîtrait
n.	conn aîtrions
v.	conn aîtriez
ils	conn aîtraient

Passé 1ʳᵉ forme

j'	aurais	connu
tu	aurais	connu
il	aurait	connu
n.	aurions	connu
v.	auriez	connu
ils	auraient	connu

Passé 2ᵉ forme

j'	eusse	connu
tu	eusses	connu
il	eût	connu
n.	eussions	connu
v.	eussiez	connu
ils	eussent	connu

INFINITIF

Présent

conn aître

Passé

avoir connu

PARTICIPE

Présent

conn aissant

Passé

conn u, ue
ayant connu

Ainsi se conjuguent **connaître, paraître** et tous leurs composés (page 99).
Tous les verbes en **-aître** prennent un accent circonflexe sur l'**i** qui précède le **t**, de même que tous les verbes en **-oître**.

65 VERBE **NAÎTRE**

INDICATIF

Présent		Passé composé	
je	nais	je suis	né
tu	nais	tu es	né
il	naît	il est	né
nous	naissons	n. sommes	nés
vous	naissez	v. êtes	nés
ils	naissent	ils sont	nés

Imparfait		Plus-que-parfait	
je	naissais	j' étais	né
tu	naissais	tu étais	né
il	naissait	il était	né
nous	naissions	n. étions	nés
vous	naissiez	v. étiez	nés
ils	naissaient	ils étaient	nés

Passé simple		Passé antérieur	
je	naquis	je fus	né
tu	naquis	tu fus	né
il	naquit	il fut	né
nous	naquîmes	n. fûmes	nés
vous	naquîtes	v. fûtes	nés
ils	naquirent	ils furent	nés

Futur simple		Futur antérieur	
je	naîtrai	je serai	né
tu	naîtras	tu seras	né
il	naîtra	il sera	né
nous	naîtrons	n. serons	nés
vous	naîtrez	v. serez	nés
ils	naîtront	ils seront	nés

SUBJONCTIF

Présent		Passé	
que je naisse		que je sois	né
que tu naisses		que tu sois	né
qu'il naisse		qu'il soit	né
que n. naissions		que n. soyons	nés
que v. naissiez		que v. soyez	nés
qu'ils naissent		qu'ils soient	nés

Imparfait		Plus-que-parfait	
que je naquisse		que je fusse	né
que tu naquisses		que tu fusses	né
qu'il naquît		qu'il fût	né
que n. naquissions		que n. fussions	nés
que v. naquissiez		que v. fussiez	nés
qu'ils naquissent		qu'ils fussent	nés

IMPÉRATIF

Présent	Passé	
nais	sois	né
naissons	soyons	nés
naissez	soyez	nés

CONDITIONNEL

Présent		Passé 1re forme	
je	naîtrais	je	serais	né
tu	naîtrais	tu	serais	né
il	naîtrait	il	serait	né
n.	naîtrions	n.	serions	nés
v.	naîtriez	v.	seriez	nés
ils	naîtraient	ils	seraient	nés

Passé 2e forme	
je fusse	né
tu fusses	né
il fût	né
n. fussions	nés
v. fussiez	nés
ils fussent	nés

INFINITIF

Présent	Passé
naître	être né

PARTICIPE

Présent	Passé
naissant	né, née
	étant né

Le verbe **paître** n'a pas de *temps composés;* il n'est usité qu'aux *temps simples* suivants :

INDICATIF		SUBJONCTIF	
Présent	*Passé simple*	*Présent*	*Imparfait*
je pais		que je paisse	
tu pais		que tu paisses	
il paît	*N'existe pas*	qu'il paisse	*N'existe pas*
nous paissons		que n. paissions	
vous paissez		que v. paissiez	
ils paissent		qu'ils paissent	

Imparfait	*Futur simple*	**IMPÉRATIF**	
je paissais	je paîtrai	pais	
tu paissais	tu paîtras	paissez	
il paissait	il paîtra		
nous paissions	n. paîtrons		
vous paissiez	v. paîtrez		
ils paissaient	ils paîtront		

INFINITIF	PARTICIPE	CONDITIONNEL	
Présent	*Présent*	*Présent*	
paître	paissant	je paîtrais	
		tu paîtrais	
		il paîtrait	
		n. paîtrions	
		v. paîtriez	
		ils paîtraient	

Nota. Le participe passé **pu**, invariable, n'est usité qu'en termes de fauconnerie.

VERBE **REPAÎTRE**

Repaître se conjugue comme **paître**, mais il a de plus les temps suivants :

INDICATIF	SUBJONCTIF
Passé simple	*Imparfait*
je repus, etc.	que je repusse, etc.

PARTICIPE	Tous les temps composés
Passé	j'ai repu, etc.
repu, ue	j'avais repu, etc.

INDICATIF

Présent		Passé composé	
je	croîs	j' ai	crû
tu	croîs	tu as	crû
il	croît	il a	crû
nous	croissons	n. avons	crû
vous	croissez	v. avez	crû
ils	croissent	ils ont	crû

Imparfait		Passé antérieur	
je	croissais	j' eus	crû
tu	croissais	tu eus	crû
il	croissait	il eut	crû
nous	croissions	n. eûmes	crû
vous	croissiez	v. eûtes	crû
ils	croissaient	ils eurent	crû

Passé simple		Plus-que-parfait	
je	crûs	j' avais	crû
tu	crûs	tu avais	crû
il	crût	il avait	crû
nous	crûmes	n. avions	crû
vous	crûtes	v. aviez	crû
ils	crûrent	ils avaient	crû

Futur simple		Futur antérieur	
je	croîtrai	j' aurai	crû
tu	croîtras	tu auras	crû
il	croîtra	il aura	crû
nous	croîtrons	n. aurons	crû
vous	croîtrez	v. aurez	crû
ils	croîtront	ils auront	crû

SUBJONCTIF

Présent	Passé	
que je croisse	que j' aie	crû
que tu croisses	que tu aies	crû
qu'il croisse	qu'il ait	crû
que n. croissions	que n. ayons	crû
que v. croissiez	que v. ayez	crû
qu'ils croissent	qu'ils aient	crû

Imparfait	Plus-que-parfait	
que je crûsse	que j' eusse	crû
que tu crûsses	que tu eusses	crû
qu'il crût	qu'il eût	crû
que n. crûssions	que n. eussions	crû
que v. crûssiez	que v. eussiez	crû
qu'ils crûssent	qu'ils eussent	crû

IMPÉRATIF

Présent	Passé	
croîs	aie	crû
croissons	ayons	crû
croissez	ayez	crû

CONDITIONNEL

Présent		Passé 1re forme	
je	croîtrais	j' aurais	crû
tu	croîtrais	tu aurais	crû
il	croîtrait	il aurait	crû
n.	croîtrions	n. aurions	crû
v.	croîtriez	v. auriez	crû
ils	croîtraient	ils auraient	crû

Passé 2e forme	
j' eusse	crû
tu eusses	crû
il eût	crû
n. eussions	crû
v. eussiez	crû
ils eussent	crû

INFINITIF

Présent	Passé
croître	avoir crû

PARTICIPE

Présent	Passé
croissant	crû, ue
	ayant crû

Ainsi se conjuguent **accroître, décroître, recroître.** S'ils prennent tous un accent circonflexe sur l'i suivi d'un **t, croître** est le seul qui ait l'accent circonflexe aux formes suivantes : *je croîs, tu croîs, je crûs, tu crûs, il crût, ils crûrent, que je crûsse..., crû,* pour le distinguer des formes correspondantes du verbe **croire.** Noter cependant le participe passé *recrû.*

INDICATIF

Présent		Passé composé	
je	crois	j' ai	cru
tu	crois	tu as	cru
il	croit	il a	cru
nous	croyons	n. avons	cru
vous	croyez	v. avez	cru
ils	croient	ils ont	cru

Imparfait		Plus-que-parfait	
je	croyais	j' avais	cru
tu	croyais	tu avais	cru
il	croyait	il avait	cru
nous	croyions	n. avions	cru
vous	croyiez	v. aviez	cru
ils	croyaient	ils avaient	cru

Passé simple		Passé antérieur	
je	crus	j' eus	cru
tu	crus	tu eus	cru
il	crut	il eut	cru
nous	crûmes	n. eûmes	cru
vous	crûtes	v. eûtes	cru
ils	crurent	ils eurent	cru

Futur simple		Futur antérieur	
je	croirai	j' aurai	cru
tu	croiras	tu auras	cru
il	croira	il aura	cru
nous	croirons	n. aurons	cru
vous	croirez	v. aurez	cru
ils	croiront	ils auront	cru

SUBJONCTIF

Présent	Passé	
que je croie	que j' aie	cru
que tu croies	que tu aies	cru
qu'il croie	qu'il ait	cru
que n. croyions	que n. ayons	cru
que v. croyiez	que v. ayez	cru
qu'ils croient	qu'ils aient	cru

Imparfait	Plus-que-parfait	
que je crusse	que j' eusse	cru
que tu crusses	que tu eusses	cru
qu'il crût	qu'il eût	cru
que n. crussions	que n. eussions	cru
que v. crussiez	que v. eussiez	cru
qu'ils crussent	qu'ils eussent	cru

IMPÉRATIF

Présent	Passé	
crois	aie	cru
croyons	ayons	cru
croyez	ayez	cru

CONDITIONNEL

Présent		Passé 1ʳᵉ forme	
je	croirais	j' aurais	cru
tu	croirais	tu aurais	cru
il	croirait	il aurait	cru
n.	croirions	n. aurions	cru
v.	croiriez	v. auriez	cru
ils	croiraient	ils auraient	cru

Passé 2ᵉ forme		
j'	eusse	cru
tu	eusses	cru
il	eût	cru
n.	eussions	cru
v.	eussiez	cru
ils	eussent	cru

INFINITIF

Présent	Passé
croire	avoir cru

PARTICIPE

Présent	Passé
croyant	cru, ue
	ayant cru

INDICATIF

Présent

je	bois
tu	bois
il	boit
nous	buvons
vous	buvez
ils	boivent

Passé composé

j'	ai	bu
tu	as	bu
il	a	bu
n.	avons	bu
v.	avez	bu
ils	ont	bu

Imparfait

je	buvais
tu	buvais
il	buvait
nous	buvions
vous	buviez
ils	buvaient

Plus-que-parfait

j'	avais	bu
tu	avais	bu
il	avait	bu
n.	avions	bu
v.	aviez	bu
ils	avaient	bu

Passé simple

je	bus
tu	bus
il	but
nous	bûmes
vous	bûtes
ils	burent

Passé antérieur

j'	eus	bu
tu	eus	bu
il	eut	bu
n.	eûmes	bu
v.	eûtes	bu
ils	eurent	bu

Futur simple

je	boirai
tu	boiras
il	boira
nous	boirons
vous	boirez
ils	boiront

Futur antérieur

j'	aurai	bu
tu	auras	bu
il	aura	bu
n.	aurons	bu
v.	aurez	bu
ils	auront	bu

SUBJONCTIF

Présent

que je	boive
que tu	boives
qu'il	boive
que n.	buvions
que v.	buviez
qu'ils	boivent

Passé

que j'	aie	bu
que tu	aies	bu
qu'il	ait	bu
que n.	ayons	bu
que v.	ayez	bu
qu'ils	aient	bu

Imparfait

que je	busse
que tu	busses
qu'il	bût
que n.	bussions
que v.	bussiez
qu'ils	bussent

Plus-que-parfait

que j'	eusse	bu
que tu	eusses	bu
qu'il	eût	bu
que n.	eussions	bu
que v.	eussiez	bu
qu'ils	eussent	bu

IMPÉRATIF

Présent

bois
buvons
buvez

Passé

aie	bu
ayons	bu
ayez	bu

CONDITIONNEL

Présent

je	boirais
tu	boirais
il	boirait
n.	boirions
v.	boiriez
ils	boiraient

Passé 1ʳᵉ forme

j'	aurais	bu
tu	aurais	bu
il	aurait	bu
n.	aurions	bu
v.	auriez	bu
ils	auraient	bu

Passé 2ᵉ forme

j'	eusse	bu
tu	eusses	bu
il	eût	bu
n.	eussions	bu
v.	eussiez	bu
ils	eussent	bu

INFINITIF

Présent

boire

Passé

avoir bu

PARTICIPE

Présent

buvant

Passé

bu, ue
ayant bu

INDICATIF

Présent		Passé composé	
je	clos	j' ai	clos
tu	clos	tu as	clos
il	clôt	il a	clos
ils	closent	n. avons	clos
		v. avez	clos
		ils ont	clos

Imparfait		Plus-que-parfait	
		j' avais	clos
		tu avais	clos
N'existe pas		il avait	clos
		n. avions	clos
		v. aviez	clos
		ils avaient	clos

Passé simple		Passé antérieur	
		j' eus	clos
		tu eus	clos
N'existe pas		il eut	clos
		n. eûmes	clos
		v. eûtes	clos
		ils eurent	clos

Futur simple		Futur antérieur	
je	clorai	j' aurai	clos
tu	cloras	tu auras	clos
il	clora	il aura	clos
nous	clorons	n. aurons	clos
vous	clorez	v. aurez	clos
ils	cloront	ils auront	clos

SUBJONCTIF

Présent	Passé	
que je close	que j' aie	clos
que tu closes	que tu aies	clos
qu'il close	qu'il ait	clos
que n. closions	que n. ayons	clos
que v. closiez	que v. ayez	clos
qu'ils closent	qu'ils aient	clos

Imparfait	Plus-que-parfait	
	que j' eusse	clos
	que tu eusses	clos
N'existe pas	qu'il eût	clos
	que n. eussions	clos
	que v. eussiez	clos
	qu'ils eussent	clos

IMPÉRATIF

Présent	Passé	
clos	aie	clos
	ayons	clos
	ayez	clos

CONDITIONNEL

Présent		Passé 1re forme	
je	clorais	j' aurais	clos
tu	clorais	tu aurais	clos
il	clorait	il aurait	clos
n.	clorions	n. aurions	clos
v.	cloriez	v. auriez	clos
ils	cloraient	ils auraient	clos

Passé 2e forme		
j'	eusse	clos
tu	eusses	clos
il	eût	clos
n.	eussions	clos
v.	eussiez	clos
ils	eussent	clos

INFINITIF

Présent	Passé
clore	avoir clos

PARTICIPE

Présent	Passé
closant	clos, se
	ayant clos

Éclore ne s'emploie guère qu'à la 3e personne. L'Académie écrit : *il éclot* sans accent circonflexe.
Enclore possède les formes *nous enclosons, vous enclosez ;* impératif : *enclosons, enclosez.* L'Académie écrit sans accent circonflexe : *il enclot.*
Déclore ne prend pas l'accent circonflexe au présent de l'indicatif : *il déclot.* N'est guère usité qu'à l'infinitif et au participe passé *déclos, déclose.*

INDICATIF

Présent

je	con clus
tu	con clus
il	con clut
nous	con cluons
vous	con cluez
ils	con cluent

Passé composé

j'	ai conclu
tu	as conclu
il	a conclu
n.	avons conclu
v.	avez conclu
ils	ont conclu

Imparfait

je	con cluais
tu	con cluais
il	con cluait
nous	con cluions
vous	con cluiez
ils	con cluaient

Plus-que-parfait

j'	avais conclu
tu	avais conclu
il	avait conclu
n.	avions conclu
v.	aviez conclu
ils	avaient conclu

Passé simple

je	con clus
tu	con clus
il	con clut
nous	con clûmes
vous	con clûtes
ils	con clurent

Passé antérieur

j'	eus conclu
tu	eus conclu
il	eut conclu
n.	eûmes conclu
v.	eûtes conclu
ils	eurent conclu

Futur simple

je	con clurai
tu	con cluras
il	con clura
nous	con clurons
vous	con clurez
ils	con cluront

Futur antérieur

j'	aurai conclu
tu	auras conclu
il	aura conclu
n.	aurons conclu
v.	aurez conclu
ils	auront conclu

SUBJONCTIF

Présent

que je	con clue
que tu	con clues
qu'il	con clue
que n.	con cluions
que v.	con cluiez
qu'ils	con cluent

Passé

que j'	aie conclu
que tu	aies conclu
qu'il	ait conclu
que n.	ayons conclu
que v.	ayez conclu
qu'ils	aient conclu

Imparfait

que je	con clusse
que tu	con clusses
qu'il	con clût
que n.	con clussions
que v.	con clussiez
qu'ils	con clussent

Plus-que-parfait

que j'	eusse conclu
que tu	eusses conclu
qu'il	eût conclu
que n.	eussions conclu
que v.	eussiez conclu
qu'ils	eussent conclu

IMPÉRATIF

Présent

con clus
con cluons
con cluez

Passé

aie conclu
ayons conclu
ayez conclu

CONDITIONNEL

Présent

je con	clurais
tu con	clurais
il con	clurait
n. con	clurions
v. con	cluriez
ils con	cluraient

Passé 1re forme

j'	aurais conclu
tu	aurais conclu
il	aurait conclu
n.	aurions conclu
v.	auriez conclu
ils	auraient conclu

Passé 2e forme

j'	eusse conclu
tu	eusses conclu
il	eût conclu
n.	eussions conclu
v.	eussiez conclu
ils	eussent conclu

INFINITIF

Présent

con clure

Passé

avoir conclu

PARTICIPE

Présent

con cluant

Passé

con clu, ue
ayant conclu

Inclure fait au participe passé *inclus(e)*. Noter l'opposition exclu(e)/inclus(e).
Occlure fait au participe passé *occlus(e)*.

INDICATIF

Présent		Passé composé	
j'	ab sous	j' ai	absous
tu	ab sous	tu as	absous
il	ab sout	il a	absous
nous	ab solvons	n. avons	absous
vous	ab solvez	v. avez	absous
ils	ab solvent	ils ont	absous

Imparfait		Plus-que-parfait	
j'	ab solvais	j' avais	absous
tu	ab solvais	tu avais	absous
il	ab solvait	il avait	absous
nous	ab solvions	n. avions	absous
vous	ab solviez	v. aviez	absous
ils	ab solvaient	ils avaient	absous

Passé simple	Passé antérieur	
	j' eus	absous
	tu eus	absous
N'existe pas	il eut	absous
	n. eûmes	absous
	v. eûtes	absous
	ils eurent	absous

Futur simple		Futur antérieur	
j'	ab soudrai	j' aurai	absous
tu	ab soudras	tu auras	absous
il	ab soudra	il aura	absous
nous	ab soudrons	n. aurons	absous
vous	ab soudrez	v. aurez	absous
ils	ab soudront	ils auront	absous

SUBJONCTIF

Présent		Passé		
que j'	ab solve	que j'	aie	absous
que tu	ab solves	que tu	aies	absous
qu'il	ab solve	qu'il	ait	absous
que n.	ab solvions	que n.	ayons	absous
que v.	ab solviez	que v.	ayez	absous
qu'ils	ab solvent	qu'ils	aient	absous

Imparfait	Plus-que-parfait		
	que j'	eusse	absous
	que tu	eusses	absous
N'existe pas	qu'il	eût	absous
	que n.	eussions	absous
	que v.	eussiez	absous
	qu'ils	eussent	absous

IMPÉRATIF

Présent	Passé	
ab sous	aie	absous
ab solvons	ayons	absous
ab solvez	ayez	absous

CONDITIONNEL

Présent		Passé 1ʳᵉ forme		
j'	ab soudrais	j'	aurais	absous
tu	ab soudrais	tu	aurais	absous
il	ab soudrait	il	aurait	absous
n.	ab soudrions	n.	aurions	absous
v.	ab soudriez	v.	auriez	absous
ils	ab soudraient	ils	auraient	absous

Passé 2ᵉ forme		
j'	eusse	absous
tu	eusses	absous
il	eût	absous
n.	eussions	absous
v.	eussiez	absous
ils	eussent	absous

INFINITIF

Présent	Passé
ab soudre	avoir absous

PARTICIPE

Présent	Passé
ab solvant	absous, oute
	ayant absous

Absoudre. Le participe passé *absous, absoute* a éliminé un ancien participe passé *absolu* qui s'est conservé comme adjectif au sens de : *complet, sans restriction.* Bien qu'admis par Littré, le passé simple *j'absolus* ne s'emploie pas.

Dissoudre se conjugue comme **absoudre,** y compris le participe passé *dissous, dissoute,* distinct de l'ancien participe *dissolu, ue* qui a subsisté comme adjectif au sens de *corrompu, débauché.*

Résoudre, à la différence de **absoudre,** possède un passé simple : *je résolus* et un subjonctif imparfait : *que je résolusse.* Le participe passé est *résolu* : *j'ai résolu ce problème.* Mais il existe un participe passé *résous* (fém. *résoute* très rare) qui n'est usité qu'en parlant des choses qui changent d'état : *brouillard résous en pluie.* Noter l'adjectif *résolu* signifiant *hardi.*

73 VERBE **COUDRE**

INDICATIF

Présent		**Passé composé**	
je	couds	j' ai	cousu
tu	couds	tu as	cousu
il	coud	il a	cousu
nous	cousons	n. avons	cousu
vous	cousez	v. avez	cousu
ils	cousent	ils ont	cousu

Imparfait		**Plus-que-parfait**	
je	cousais	j' avais	cousu
tu	cousais	tu avais	cousu
il	cousait	il avait	cousu
nous	cousions	n. avions	cousu
vous	cousiez	v. aviez	cousu
ils	cousaient	ils avaient	cousu

Passé simple		**Passé antérieur**	
je	cousis	j' eus	cousu
tu	cousis	tu eus	cousu
il	cousit	il eut	cousu
nous	cousîmes	n. eûmes	cousu
vous	cousîtes	v. eûtes	cousu
ils	cousirent	ils eurent	cousu

Futur simple		**Futur antérieur**	
je	coudrai	j' aurai	cousu
tu	coudras	tu auras	cousu
il	coudra	il aura	cousu
nous	coudrons	n. aurons	cousu
vous	coudrez	v. aurez	cousu
ils	coudront	ils auront	cousu

SUBJONCTIF

Présent	**Passé**	
que je couse	que j' aie	cousu
que tu couses	que tu aies	cousu
qu'il couse	qu'il ait	cousu
que n. cousions	que n. ayons	cousu
que v. cousiez	que v. ayez	cousu
qu'ils cousent	qu'ils aient	cousu

Imparfait	**Plus-que-parfait**	
que je cousisse	que j' eusse	cousu
que tu cousisses	que tu eusses	cousu
qu'il cousît	qu'il eût	cousu
que n. cousissions	que n. eussions	cousu
que v. cousissiez	que v. eussiez	cousu
qu'ils cousissent	qu'ils eussent	cousu

IMPÉRATIF

Présent	**Passé**	
couds	aie	cousu
cousons	ayons	cousu
cousez	ayez	cousu

CONDITIONNEL

Présent		**Passé 1ʳᵉ forme**	
je	coudrais	j' aurais	cousu
tu	coudrais	tu aurais	cousu
il	coudrait	il aurait	cousu
n.	coudrions	n. aurions	cousu
v.	coudriez	v. auriez	cousu
ils	coudraient	ils auraient	cousu

Passé 2ᵉ forme		
j'	eusse	cousu
tu	eusses	cousu
il	eût	cousu
n.	eussions	cousu
v.	eussiez	cousu
ils	eussent	cousu

INFINITIF

Présent	**Passé**
coudre	avoir cousu

PARTICIPE

Présent	**Passé**
cousant	cousu, ue
	ayant cousu

Ainsi se conjuguent **découdre, recoudre.**

INDICATIF

Présent		Passé composé	
e	mouds	j' ai	moulu
u	mouds	tu as	moulu
l	moud	il a	moulu
ous	moulons	n. avons	moulu
ous	moulez	v. avez	moulu
ls	moulent	ils ont	moulu

Imparfait		Plus-que-parfait	
e	moulais	j' avais	moulu
u	moulais	tu avais	moulu
l	moulait	il avait	moulu
nous	moulions	n. avions	moulu
vous	mouliez	v. aviez	moulu
ls	moulaient	ils avaient	moulu

Passé simple		Passé antérieur	
e	moulus	j' eus	moulu
tu	moulus	tu eus	moulu
il	moulut	il eut	moulu
nous	moulûmes	n. eûmes	moulu
vous	moulûtes	v. eûtes	moulu
ils	moulurent	ils eurent	moulu

Futur simple		Futur antérieur	
je	moudrai	j' aurai	moulu
tu	moudras	tu auras	moulu
il	moudra	il aura	moulu
nous	moudrons	n. aurons	moulu
vous	moudrez	v. aurez	moulu
ils	moudront	ils auront	moulu

SUBJONCTIF

Présent	Passé	
que je moule	que j' aie	moulu
que tu moules	que tu aies	moulu
qu'il moule	qu'il ait	moulu
que n. moulions	que n. ayons	moulu
que v. mouliez	que v. ayez	moulu
qu'ils moulent	qu'ils aient	moulu

Imparfait	Plus-que-parfait	
que je moulusse	que j' eusse	moulu
que tu moulusses	que tu eusses	moulu
qu'il moulût	qu'il eût	moulu
que n. moulussions	que n. eussions	moulu
que v. moulussiez	que v. eussiez	moulu
qu'ils moulussent	qu'ils eussent	moulu

IMPÉRATIF

Présent	Passè	
mouds	aie	moulu
moulons	ayons	moulu
moulez	ayez	moulu

CONDITIONNEL

Présent	Passé 1re forme	
je moudrais	j' aurais	moulu
tu moudrais	tu aurais	moulu
il moudrait	il aurait	moulu
n. moudrions	n. aurions	moulu
v. moudriez	v. auriez	moulu
ils moudraient	ils auraient	moulu

Passé 2e forme	
j' eusse	moulu
tu eusses	moulu
il eût	moulu
n. eussions	moulu
v. eussiez	moulu
ils eussent	moulu

INFINITIF

Présent	Passé
moudre	avoir moulu

PARTICIPE

Présent	Passé
moulant	moulu, ue
	ayant moulu

Ainsi se conjuguent **émoudre, remoudre.**

75 VERBE **SUIVRE**

Présent		Passé composé		
je	suis	j'	ai	suivi
tu	suis	tu	as	suivi
il	suit	il	a	suivi
nous	suivons	n.	avons	suivi
vous	suivez	v.	avez	suivi
ils	suivent	ils	ont	suivi

Imparfait		Plus-que-parfait		
je	suivais	j'	avais	suivi
tu	suivais	tu	avais	suivi
il	suivait	il	avait	suivi
nous	suivions	n.	avions	suivi
vous	suiviez	v.	aviez	suivi
ils	suivaient	ils	avaient	suivi

Passé simple		Passé antérieur		
je	suivis	j'	eus	suivi
tu	suivis	tu	eus	suivi
il	suivit	il	eut	suivi
nous	suivîmes	n.	eûmes	suivi
vous	suivîtes	v.	eûtes	suivi
ils	suivirent	ils	eurent	suivi

Futur simple		Futur antérieur		
je	suivrai	j'	aurai	suivi
tu	suivras	tu	auras	suivi
il	suivra	il	aura	suivi
nous	suivrons	n.	aurons	suivi
vous	suivrez	v.	aurez	suivi
ils	suivront	ils	auront	suivi

SUBJONCTIF

Présent		Passé		
que je	suive	que j'	aie	suivi
que tu	suives	que tu	aies	suivi
qu'il	suive	qu'il	ait	suivi
que n.	suivions	que n.	ayons	suivi
que v.	suiviez	que v.	ayez	suivi
qu'ils	suivent	qu'ils	aient	suivi

Imparfait		Plus-que-parfait		
que je	suivisse	que j'	eusse	suivi
que tu	suivisses	que tu	eusses	suivi
qu'il	suivît	qu'il	eût	suivi
que n.	suivissions	que n.	eussions	suivi
que v.	suivissiez	que v.	eussiez	suivi
qu'ils	suivissent	qu'ils	eussent	suivi

IMPÉRATIF

Présent	Passé	
suis	aie	suivi
suivons	ayons	suivi
suivez	ayez	suivi

CONDITIONNEL

Présent		Passé 1ʳᵉ forme		
je	suivrais	j'	aurais	suivi
tu	suivrais	tu	aurais	suivi
il	suivrait	il	aurait	suivi
n.	suivrions	n.	aurions	suivi
v.	suivriez	v.	auriez	suivi
ils	suivraient	ils	auraient	suivi

Passé 2ᵉ forme		
j'	eusse	suivi
tu	eusses	suivi
il	eût	suivi
n.	eussions	suivi
v.	eussiez	suivi
ils	eussent	suivi

INFINITIF

Présent	Passé
suivre	avoir suivi

PARTICIPE

Présent	Passé
suivant	suivi, ie
	ayant suivi

Ainsi se conjuguent **s'ensuivre** (auxiliaire **être**) et **poursuivre**.

INDICATIF

Présent	Passé composé	
e vis	j' ai	vécu
tu vis	tu as	vécu
l vit	il a	vécu
nous vivons	n. avons	vécu
vous vivez	v. avez	vécu
ils vivent	ils ont	vécu

Imparfait	Plus-que-parfait	
e vivais	j' avais	vécu
tu vivais	tu avais	vécu
il vivait	il avait	vécu
nous vivions	n. avions	vécu
vous viviez	v. aviez	vécu
ils vivaient	ils avaient	vécu

Passé simple	Passé antérieur	
je vécus	j' eus	vécu
tu vécus	tu eus	vécu
il vécut	il eut	vécu
nous vécûmes	n. eûmes	vécu
vous vécûtes	v. eûtes	vécu
ils vécurent	ils eurent	vécu

Futur simple	Futur antérieur	
je vivrai	j' aurai	vécu
tu vivras	tu auras	vécu
il vivra	il aura	vécu
nous vivrons	n. aurons	vécu
vous vivrez	v. aurez	vécu
ils vivront	ils auront	vécu

SUBJONCTIF

Présent	Passé	
que je vive	que j' aie	vécu
que tu vives	que tu aies	vécu
qu'il vive	qu'il ait	vécu
que n. vivions	que n. ayons	vécu
que v. viviez	que v. ayez	vécu
qu'ils vivent	qu'ils aient	vécu

Imparfait	Plus-que-parfait	
que je vécusse	que j' eusse	vécu
que tu vécusses	que tu eusses	vécu
qu'il vécût	qu'il eût	vécu
que n. vécussions	que n. eussions	vécu
que v. vécussiez	que v. eussiez	vécu
qu'ils vécussent	qu'ils eussent	vécu

IMPÉRATIF

Présent	Passé	
vis	aie	vécu
vivons	ayons	vécu
vivez	ayez	vécu

CONDITIONNEL

Présent	Passé 1re forme	
je vivrais	j' aurais	vécu
tu vivrais	tu aurais	vécu
il vivrait	il aurait	vécu
n. vivrions	n. aurions	vécu
v. vivriez	v. auriez	vécu
ils vivraient	ils auraient	vécu

Passé 2e forme		
j' eusse	vécu
tu eusses	vécu
il eût	vécu
n. eussions	vécu
v. eussiez	vécu
ils eussent	vécu

INFINITIF

Présent	Passé
vivre	avoir vécu

PARTICIPE

Présent	Passé
vivant	vécu
	ayant vécu

Ainsi se conjuguent **revivre** et **survivre**; le participe passé de ce dernier est invariable.

INDICATIF

Présent		**Passé composé**	
je	lis	j' ai	lu
tu	lis	tu as	lu
il	lit	il a	lu
nous	lisons	n. avons	lu
vous	lisez	v. avez	lu
ils	lisent	ils ont	lu

Imparfait		**Plus-que-parfait**	
je	lisais	j' avais	lu
tu	lisais	tu avais	lu
il	lisait	il avait	lu
nous	lisions	n. avions	lu
vous	lisiez	v. aviez	lu
ils	lisaient	ils avaient	lu

Passé simple		**Passé antérieur**	
je	lus	j' eus	lu
tu	lus	tu eus	lu
il	lut	il eut	lu
nous	lûmes	n. eûmes	lu
vous	lûtes	v. eûtes	lu
ils	lurent	ils eurent	lu

Futur simple		**Futur antérieur**	
je	lirai	j' aurai	lu
tu	liras	tu auras	lu
il	lira	il aura	lu
nous	lirons	n. aurons	lu
vous	lirez	v. aurez	lu
ils	liront	ils auront	lu

SUBJONCTIF

Présent		**Passé**	
que je	lise	que j' aie	lu
que tu	lises	que tu aies	lu
qu'il	lise	qu'il ait	lu
que n.	lisions	que n. ayons	lu
que v.	lisiez	que v. ayez	lu
qu'ils	lisent	qu'ils aient	lu

Imparfait		**Plus-que-parfait**	
que je	lusse	que j' eusse	lu
que tu	lusses	que tu eusses	lu
qu'il	lût	qu'il eût	lu
que n.	lussions	que n. eussions	lu
que v.	lussiez	que v. eussiez	lu
qu'ils	lussent	qu'ils eussent	lu

IMPÉRATIF

Présent	**Passé**	
lis	aie	lu
lisons	ayons	lu
lisez	ayez	lu

CONDITIONNEL

Présent		**Passé 1re forme**	
je	lirais	j' aurais	lu
tu	lirais	tu aurais	lu
il	lirait ·	il aurait	lu
n.	lirions	n. aurions	lu
v.	liriez	v. auriez	lu
ils	liraient	ils auraient	lu

Passé 2e forme		
j'	eusse	lu
tu	eusses	lu
il	eût	lu
n.	eussions	lu
v.	eussiez	lu
ils	eussent	lu

INFINITIF

Présent	**Passé**
lire	avoir lu

PARTICIPE

Présent	**Passé**
lisant	lu, lue
	ayant lu

Ainsi se conjuguent **élire, réélire, relire**.

INDICATIF

Présent		Passé composé	
je	dis	j' ai	dit
tu	dis	tu as	dit
il	dit	il a	dit
nous	disons	n. avons	dit
vous	*dites*	v. avez	dit
ils	disent	ils ont	dit

Imparfait		Plus-que-parfait	
je	disais	j' avais	dit
tu	disais	tu avais	dit
il	disait	il avait	dit
nous	disions	n. avions	dit
vous	disiez	v. aviez	dit
ils	disaient	ils avaient	dit

Passé simple		Passé antérieur	
je	dis	j' eus	dit
tu	dis	tu eus	dit
il	dit	il eut	dit
nous	dîmes	n. eûmes	dit
vous	dîtes	v. eûtes	dit
ils	dirent	ils eurent	dit

Futur simple		Futur antérieur	
je	dirai	j' aurai	dit
tu	diras	tu auras	dit
il	dira	il aura	dit
nous	dirons	n. aurons	dit
vous	direz	v. aurez	dit
ils	diront	ils auront	dit

SUBJONCTIF

Présent		Passé	
que je	dise	que j'	aie	dit
que tu	dises	que tu	aies	dit
qu'il	dise	qu'il	ait	dit
que n.	disions	que n.	ayons	dit
que v.	disiez	que v.	ayez	dit
qu'ils	disent	qu'ils	aient	dit

Imparfait		Plus-que-parfait	
que je	disse	que j'	eusse	dit
que tu	disses	que tu	eusses	dit
qu'il	dît	qu'il	eût	dit
que n.	dissions	que n.	eussions	dit
que v.	dissiez	que v.	cussiez	dit
qu'ils	dissent	qu'ils	eussent	dit

IMPÉRATIF

Présent	Passé	
dis	aie	dit
disons	ayons	dit
dites	ayez	dit

CONDITIONNEL

Présent		Passé 1re forme	
je	dirais	j'	aurais	dit
tu	dirais	tu	aurais	dit
il	dirait	il	aurait	dit
n.	dirions	n.	aurions	dit
v.	diriez	v.	auriez	dit
ils	diraient	ils	auraient	dit

Passé 2e forme		
j'	eusse	dit
tu	eusses	dit
il	eût	dit
n.	eussions	dit
v.	eussiez	dit
ils	eussent	dit

INFINITIF

Présent	Passé
dire	avoir dit

PARTICIPE

Présent	Passé
disant	dit, ite
	ayant dit

Ainsi se conjugue **redire. Contredire, dédire, interdire, médire** et **predire** ont au présent de l'indicatif et de l'impératif les formes : *(vous) contredisez, dédisez, interdisez, médisez, prédisez.* Quant à **maudire** il se conjugue sur **finir** : *nous maudissons, vous maudissez, ils maudissent, je maudissais,* etc., *maudissant,* sauf au participe passé : *maudit, ite.*

INDICATIF

Présent		Passé composé	
je	ris	j' ai	ri
tu	ris	tu as	ri
il	rit	il a	ri
nous	rions	n. avons	ri
vous	riez	v. avez	ri
ils	rient	ils ont	ri

Imparfait		Plus-que-parfait	
je	riais	j' avais	ri
tu	riais	tu avais	ri
il	riait	il avait	ri
nous	riions	n. avions	ri
vous	riiez	v. aviez	ri
ils	riaient	ils avaient	ri

Passé simple		Passé antérieur	
je	ris	j' eus	ri
tu	ris	tu eus	ri
il	rit	il eut	ri
nous	rîmes	n. eûmes	ri
vous	rîtes	v. eûtes	ri
ils	rirent	ils eurent	ri

Futur simple		Futur antérieur	
je	rirai	j' aurai	ri
tu	riras	tu auras	ri
il	rira	il aura	ri
nous	rirons	n. aurons	ri
vous	rirez	v. aurez	ri
ils	riront	ils auront	ri

SUBJONCTIF

Présent		Passé	
que je	rie	que j' aie	ri
que tu	ries	que tu aies	ri
qu'il	rie	qu'il ait	ri
que n.	riions	que n. ayons	ri
que v.	riiez	que v. ayez	ri
qu'ils	rient	qu'ils aient	ri

Imparfait (rare)		Plus-que-parfait	
que je	risse	que j' eusse	ri
que tu	risses	que tu eusses	ri
qu'il	rît	qu'il eût	ri
que n.	rissions	que n. eussions	ri
que v.	rissiez	que v. eussiez	ri
qu'ils	rissent	qu'ils eussent	ri

IMPÉRATIF

Présent	Passé	
ris	aie	ri
rions	ayons	ri
riez	ayez	ri

CONDITIONNEL

Présent		Passé 1ʳᵉ forme	
je	rirais	j' aurais	ri
tu	rirais	tu aurais	ri
il	rirait	il aurait	ri
n.	ririons	n. aurions	ri
v.	ririez	v. auriez	ri
ils	riraient	ils auraient	ri

Passé 2ᵉ forme	
j' eusse	ri
tu eusses	ri
il eût	ri
n. eussions	ri
v. eussiez	ri
ils eussent	ri

INFINITIF

Présent	Passé
rire	avoir ri

PARTICIPE

Présent	Passé
riant	ri
	ayant ri

Remarquer les deux **i** de suite aux deux premières personnes du pluriel de l'imparfait de l'indicatif et du présent du subjonctif. Ainsi se conjugue **sourire**.

NDICATIF

Présent		Passé composé		
	é cris	j' ai	écrit
:u	é cris	tu as	écrit
l	é crit	il a	écrit
٦ous	é crivons	n. avons	écrit
⅃ous	é crivez	v. avez	écrit
⅃s	é crivent	ils ont	écrit

Imparfait		Plus-que-parfait		
	é crivais	j' avais	écrit
tu	é crivais	tu avais	écrit
il	é crivait	il avait	écrit
nous	é crivions	n. avions	écrit
vous	é criviez	v. aviez	écrit
ils	é crivaient	ils avaient	écrit

Passé simple		Passé antérieur		
j'	é crivis	j' eus	écrit
tu	é crivis	tu eus	écrit
il	é crivit	il eut	écrit
nous	é crivîmes	n. eûmes	écrit
vous	é crivîtes	v. eûtes	écrit
ils	é crivirent	ils eurent	écrit

Futur simple		Futur antérieur		
j'	é crirai	j' aurai	écrit
tu	é criras	tu auras	écrit
il	é crira	il aura	écrit
nous	é crirons	n. aurons	écrit
vous	é crirez	v. aurez	écrit
ils	é criront	ils auront	écrit

SUBJONCTIF

Présent		Passé		
que j'	é crive	que j' aie	écrit
que tu	é crives	que tu aies	écrit
qu'il	é crive	qu'il ait	écrit
que n.	é crivions	que n. ayons	écrit
que v.	é criviez	que v. ayez	écrit
qu'ils	é crivent	qu'ils aient	écrit

Imparfait		Plus-que-parfait		
que j'	é crivisse	que j' eusse	écrit
que tu	é crivisses	que tu eusses	écrit
qu'il	é crivît	qu'il eût	écrit
que n.	é crivissions	que n. eussions	écrit
que v.	é crivissiez	que v. eussiez	écrit
qu'ils	é crivissent	qu'ils eussent	écrit

IMPÉRATIF

Présent	Passé	
é cris	aie	écrit
é crivons	ayons	écrit
é crivez	ayez	écrit

CONDITIONNEL

Présent		Passé 1ʳᵉ forme		
j'	é crirais	j' aurais	écrit
tu	é crirais	tu aurais	écrit
il	é crirait	il aurait	écrit
n.	é cririons	n. aurions	écrit
v.	é cririez	v. auriez	écrit
ils	é criraient	ils auraient	écrit

Passé 2ᵉ forme		
j'	eusse	écrit
tu	eusses	écrit
il	eût	écrit
n.	eussions	écrit
v.	eussiez	écrit
ils	eussent	écrit

INFINITIF

Présent	Passé
é crire	avoir écrit

PARTICIPE

Présent	Passé
é crivant	écrit, ite
	ayant écrit

Ainsi se conjuguent **récrire, décrire** et tous les composés en **-scrire** (page 99).

INDICATIF

Présent		Passé composé	
je	confis	j' ai	confit
tu	confis	tu as	confit
il	confit	il a	confit
nous	confisons	n. avons	confit
vous	confisez	v. avez	confit
ils	confisent	ils ont	confit

Imparfait		Plus-que-parfait	
je	confisais	j' avais	confit
tu	confisais	tu avais	confit
il	confisait	il avait	confit
nous	confisions	n. avions	confit
vous	confisiez	v. aviez	confit
ils	confisaient	ils avaient	confit

Passé simple		Passé antérieur	
je	confis	j' eus	confit
tu	confis	tu eus	confit
il	confit	il eut	confit
nous	confîmes	n. eûmes	confit
vous	confîtes	v. eûtes	confit
ils	confirent	ils eurent	confit

Futur simple		Futur antérieur	
je	confirai	j' aurai	confit
tu	confiras	tu auras	confit
il	confira	il aura	confit
nous	confirons	n. aurons	confit
vous	confirez	v. aurez	confit
ils	confiront	ils auront	confit

SUBJONCTIF

Présent	Passé	
que je confise	que j' aie	confit
que tu confises	que tu aies	confit
qu'il confise	qu'il ait	confit
que n. confisions	que n. ayons	confit
que v. confisiez	que v. ayez	confit
qu'ils confisent	qu'ils aient	confit

Imparfait	Plus-que-parfait	
que je confisse	que j' eusse	confit
que tu confisses	que tu eusses	confit
qu'il confît	qu'il eût	confit
que n. confissions	que n. eussions	confit
que v. confissiez	que v. eussiez	confit
qu'ils confissent	qu'ils eussent	confit

IMPÉRATIF

Présent	Passé	
confis	aie	confit
confisons	ayons	confit
confisez	ayez	confit

CONDITIONNEL

Présent	Passé 1ʳᵉ forme		
je	confirais	j'	aurais	confit
tu	confirais	tu	aurais	confit
il	confirait	il	aurait	confit
n.	confirions	n.	aurions	confit
v.	confiriez	v.	auriez	confit
ils	confiraient	ils	auraient	confit

Passé 2ᵉ forme		
j'	eusse	confit
tu	eusses	confit
il	eût	confit
n.	eussions	confit
v.	eussiez	confit
ils	eussent	confit

INFINITIF

Présent	Passé
confire	avoir confit

PARTICIPE

Présent	Passé
confisant	confit, ite
	ayant confit

Circoncire, tout en se conjuguant sur **confire**, fait au participe passé *circoncis, ise*.
F r i r e n'est usité qu'au singulier du présent de l'indicatif et de l'impératif : *je fris, tu fris, il frit, fris*; rarement au futur et au conditionnel : *je frirai... je frirais...*; au participe passé *frit, frite*, et aux temps composés formés avec l'auxiliaire **avoir.** Aux temps et aux personnes où **frire** est défectif, on lui substitue le verbe **faire frire,** du moins quand **frire** devrait être employé au sens transitif : *ils font frire du poisson.* Le verbe **frire** peut en effet être employé au sens intransitif : *le beurre frit dans la poêle.*
S u f f i r e se conjugue sur **confire.** Remarquer toutefois que le participe passé est *suffi* (sans **t**), invariable même à la forme pronominale : *Les pauvres femmes se sont suffi avec peine jusqu'à présent.*

INDICATIF

Présent		Passé composé	
je	cuis	j' ai	cuit
tu	cuis	tu as	cuit
il	cuit	il a	cuit
nous	cuisons	n. avons	cuit
vous	cuisez	v. avez	cuit
ils	cuisent	ils ont	cuit

Imparfait		Plus-que-parfait	
je	cuisais	j' avais	cuit
tu	cuisais	tu avais	cuit
il	cuisait	il avait	cuit
nous	cuisions	n. avions	cuit
vous	cuisiez	v. aviez	cuit
ils	cuisaient	ils avaient	cuit

Passé simple		Passé antérieur	
je	cuisis	j' eus	cuit
tu	cuisis	tu eus	cuit
il	cuisit	il eut	cuit
nous	cuisîmes	n. eûmes	cuit
vous	cuisîtes	v. eûtes	cuit
ils	cuisirent	ils eurent	cuit

Futur simple		Futur antérieur	
je	cuirai	j' aurai	cuit
tu	cuiras	tu auras	cuit
il	cuira	il aura	cuit
nous	cuirons	n. aurons	cuit
vous	cuirez	v. aurez	cuit
ils	cuiront	ils auront	cuit

SUBJONCTIF

Présent		Passé		
que je cuise		que j'	aie	cuit
que tu cuises		que tu	aies	cuit
qu'il cuise		qu'il	ait	cuit
que n. cuisions		que n.	ayons	cuit
que v. cuisiez		que v.	ayez	cuit
qu'ils cuisent		qu'ils	aient	cuit

Imparfait		Plus-que-parfait		
que je cuisisse		que j'	eusse	cuit
que tu cuisisses		que tu	eusses	cuit
qu'il cuisît		qu'il	eût	cuit
que n. cuisissions		que n.	eussions	cuit
que v. cuisissiez		que v.	eussiez	cuit
qu'ils cuisissent		qu'ils	eussent	cuit

IMPÉRATIF

Présent	Passé	
cuis	aie	cuit
cuisons	ayons	cuit
cuisez	ayez	cuit

CONDITIONNEL

Présent		Passé 1re forme		
je	cuirais	j'	aurais	cuit
tu	cuirais	tu	aurais	cuit
il	cuirait	il	aurait	cuit
n.	cuirions	n.	aurions	cuit
v.	cuiriez	v.	auriez	cuit
ils	cuiraient	ils	auraient	cuit

Passé 2e forme		
j'	eusse	cuit
tu	eusses	cuit
il	eût	cuit
n.	eussions	cuit
v.	eussiez	cuit
ils	eussent	cuit

INFINITIF

Présent	Passé
cuire	avoir cuit

PARTICIPE

Présent	Passé
cuisant	cuit, uite
	ayant cuit

Ainsi se conjuguent **conduire, construire, luire, nuire** et leurs composés (page 99). Noter les participes passés invariables *lui, nui.*
Pour *reluire* comme pour *luire,* le passé simple **je (re)luisis** est supplanté par **je (re)luis... ... ils (re)luirent.**

LISTE ALPHABÉTIQUE DE TOUS LES VERBES DU 3ᵉ GROUPE

23 tenir
abstenir (s')
appartenir
contenir
détenir
entretenir
maintenir
obtenir
retenir
soutenir
venir
advenir
circonvenir
contrevenir
convenir
devenir
disconvenir
intervenir
obvenir
parvenir
prévenir
provenir
redevenir
ressouvenir (se)
revenir
souvenir (se)
subvenir
survenir
24 acquérir
conquérir
enquérir (s')
quérir
reconquérir
requérir
25 sentir
consentir
pressentir
ressentir
mentir
démentir
partir
départir
repartir
repentir (se)
sortir
ressortir

26 vêtir
dévêtir
revêtir
27 couvrir
découvrir
recouvrir
ouvrir
entrouvrir
rentrouvrir
rouvrir
offrir
souffrir
28 cueillir
accueillir
recueillir
29 assaillir
saillir
tressaillir
30 faillir
défaillir
31 bouillir
débouillir
rebouillir
32 dormir
endormir
redormir
rendormir
33 courir
accourir
concourir
discourir
encourir
parcourir
recourir
secourir
34 mourir
35 servir
desservir
resservir
(asservir 19)
36 fuir
enfuir (s')
refuir
37 ouïr
38 gésir
38 recevoir
apercevoir

concevoir
décevoir
percevoir
39 voir
entrevoir
prévoir
revoir
40 pourvoir
dépourvoir
41 savoir
resavoir
42 devoir
redevoir
43 pouvoir
44 mouvoir
émouvoir
promouvoir
45 pleuvoir
repleuvoir
46 falloir
47 valoir
équivaloir
prévaloir
revaloir
48 vouloir
49 asseoir
rasseoir
50 seoir
messeoir
51 surseoir
52 choir
déchoir
échoir
53 rendre
1 *défendre*
descendre
condescendre
redescendre
fendre
pourfendre
refendre
pendre
appendre
dépendre
rependre
suspendre
tendre
attendre

détendre
distendre
entendre
étendre
prétendre
retendre
sous-entendre
sous-tendre
vendre
mévendre
revendre
2 *épandre*
répandre
3 *fondre*
confondre
morfondre (se)
parfondre
refondre
pondre
répondre
correspondre
tondre
retondre
4 *perdre*
reperdre
5 *mordre*
démordre
remordre
tordre
détordre
distordre
retordre
6 *rompre*
corrompre
interrompre
7 foutre
contrefoutre (se)
54 prendre
apprendre
comprendre
déprendre
désapprendre
entreprendre
éprendre (s')
méprendre (se)
réapprendre
reprendre
surprendre

classés dans l'ordre des tableaux de conjugaison où se trouve entièrement conjugué soit le verbe lui-même, soit le verbe type (en gras) qui lui sert de modèle, à l'auxiliaire près.

55 battre
abattre
combattre
contre-battre
débattre
ébattre (s')
embatre
rabattre
rebattre
56 mettre
admettre
commettre
compromettre
démettre
émettre
entremettre (s')
omettre
permettre
promettre
réadmettre
remettre
retransmettre
soumettre
transmettre
57 peindre
dépeindre
repeindre
astreindre
étreindre
restreindre
atteindre
aveindre
ceindre
enceindre
empreindre
épreindre
enfreindre
feindre
geindre
teindre
déteindre
éteindre
reteindre

58 joindre
adjoindre
conjoindre
disjoindre
enjoindre
rejoindre
oindre
poindre
59 craindre
contraindre
plaindre
60 vaincre
convaincre
61 traire
abstraire
distraire
extraire
retraire
soustraire
braire
62 faire
contrefaire
défaire
forfaire
malfaire
méfaire
parfaire
redéfaire
refaire
satisfaire
surfaire
63 plaire
complaire
déplaire
taire
64 connaître
méconnaître
reconnaître
paraître
apparaître
comparaître
disparaître
réapparaître
recomparaître
reparaître
transparaître
65 naître
renaître

66 paître
repaître
67 croître
accroître
décroître
recroître
68 croire
69 boire
emboire
70 clore
déclore
éclore
enclore
forclore
71 conclure
exclure
inclure
occlure
reclure
72 absoudre
dissoudre
résoudre
73 coudre
découdre
recoudre
74 moudre
émoudre
remoudre
75 suivre
ensuivre (s')
poursuivre
76 vivre
revivre
survivre
77 lire
élire
réélire
relire
78 dire
contredire
dédire
interdire
(maudire 19)
médire
prédire
redire

79 rire
sourire
80 écrire
circonscrire
décrire
inscrire
prescrire
proscrire
récrire
réinscrire
retranscrire
souscrire
transcrire
81 confire
déconfire
circoncire
frire
suffire
82 cuire
recuire
conduire
déduire
éconduire
enduire
induire
introduire
produire
reconduire
réduire
réintroduire
renduire
reproduire
retraduire
séduire
traduire
construire
détruire
instruire
reconstruire
luire
entre-luire
reluire
nuire
entre nuire (s')

LE CHOIX DE L'AUXILIAIRE

Se conjuguent avec être ou avoir (♦) selon la nuance de l'emploi les verbes :

apparaître [1]	déborder	diminuer	expirer	rajeunir
atterrir	décamper	disconvenir [3]	faillir	ressusciter
augmenter	déchoir	disparaître [4]	grandir	résulter
camper	décroître	divorcer	grossir	sonner
changer	dégeler	échapper [5]	maigrir	stationner
chavirer	dégénérer	échouer	monter [7]	tourner
convenir	déménager	éclore [6]	paraître	trébucher
crever	demeurer	embellir	passer	trépasser
crouler	dénicher	empirer	pourrir	vieillir
croupir	descendre [2]	enlaidir		

1. **Apparaître,** selon les grammairiens et l'Académie, se construit, comme *disparaître,* indifféremment avec l'auxiliaire **être** ou **avoir** : *Les spectres lui ont apparu* ou *lui sont apparus* (Ac.). Il semble cependant préférable d'employer **avoir** si l'on considère l'action : *Les patriarches lui dressèrent des autels en certains endroits où il leur* **avait** *apparu* (Massillon); **être** si l'on considère le résultat : *Elle m'est apparue avec trop d'avantage* (Racine). Mais l'usage tend à généraliser l'auxiliaire **être,** même quand on considère uniquement l'action : *Cet homme m'est apparu au moment où je le croyais bien loin* (Ac.).

2. **Descendre.** Quand on veut insister sur le résultat on emploie toujours l'auxiliaire **être** : *Il est descendu chez des amis* (Ac.). Mais même pour indiquer l'action l'auxiliaire **être** s'emploie plus couramment qu'**avoir** : *Nous* **sommes** *aussitôt descendus de voiture.* Cependant on peut correctement écrire : *Il* **a** *descendu bien promptement* (Ac.).

3. **Disconvenir** se conjugue avec l'auxiliaire **être** au sens de *ne pas convenir d'une chose, la nier,* avec l'auxiliaire **avoir** au sens de *ne pas convenir à,* mais cette acception est désuète.

4. **Disparaître,** comme **apparaître,** prend normalement l'auxiliaire **avoir** pour exprimer l'action, l'auxiliaire **être** pour exprimer l'état résultant de cette action. Quand, avec l'Académie, je dis : *le soleil a disparu derrière l'horizon,* j'indique qu'à un moment donné le soleil a fait, apparemment, l'action de descendre par-delà la ligne d'horizon. Mais si, constatant l'absence du soleil dans le ciel, je veux exprimer l'état consécutif à cette disparition, je dirai : *Le soleil* **est** *disparu.*

5. **Échapper** veut toujours l'auxiliaire **avoir** au sens de *n'être pas saisi, n'être pas compris* : *Votre demande* **m'avait** *d'abord échappé.* Au sens de *être dit ou fait par inadvertance,* il prend l'auxiliaire **être** : *Il est impossible qu'une pareille bévue lui* **soit** *échappée* (Ac.). Au sens de *s'enfuir,* il utilise **avoir** ou **être** selon que l'on insiste sur l'action ou sur l'état : *Le prisonnier* **a** *échappé. Il* **est** *échappé de prison.* Noter le participe passé non accordé dans l'expression : *Il l'a* **échappé** *belle.*

6. **Éclore.** On emploie parfois l'auxiliaire **avoir** pour insister sur l'action elle-même : *Ces poussins* **ont** *éclos ce matin; ceux-là* **sont** *éclos depuis hier.* Mais l'auxiliaire **être** est toujours possible : *Ces fleurs* **sont** *écloses cette nuit* (Ac.).

7. **Monter,** verbe intransitif, est conjugué normalement avec l'auxiliaire **être** : *Il est monté à sa chambre* (Ac.). Cependant, pour insister sur l'action en train de se faire, il peut se construire avec l'auxiliaire **avoir;** particulièrement dans certaines expressions consacrées par l'usage : *Il est hors d'haleine pour* **avoir** *monté trop vite* (Ac.). *La Seine* **a** *monté; le thermomètre* **a** *monté; les prix* **ont** *monté.*

3
Dictionnaire orthographique des verbes

(avec indications d'emploi et renvois aux tableaux)

CODE DES SIGNES DU DICTIONNAIRE

battre	Ces verbes sont particulièrement fréquents (voir l'Échelle D-B *Ters et Reichenbach*, tranches 1 et 2).
19	Renvoi aux verbes types dans les tableaux.
19	Renvoi aux tableaux (soit au modèle soit aux notes).
à, de, etc.	Rappel de la préposition régie par le verbe.
I	Verbe ou emploi intransitif.
T	Verbe ou emploi transitif direct.
P	Verbe ou emploi pronominal.
P	Participe invariable dans l'emploi pronominal.
♦	Ce verbe se conjugue avec *être*.
♦	Ce verbe se conjugue avec *être* OU *avoir* (cf. p. 100).
D	Verbe défectif.
il	Verbe ou emploi impersonnel.
≃	Ne s'emploie que sous cette forme.

a

	n°
abaisser, T, P	6
abandonner, T, P	6
abasourdir, T	19
abâtardir, T, P	19
abat-carrer, T	6
abattre, T, P	55
abcéder, I	10
abdiquer, I, T	6
abécher, T	10
aberrer, I	6
abêtir, T, P	19
abhorrer, T	6
abîmer, T, P	6
abjurer, I, T	6
ablatir, T	19
abloquer, T	6
abolir, T	19
abominer, T	6
abonder, I	6
abonner, T, P	6
abonnir, T, P	19
aborder, I, T	6
aboucher, T, P	6
abouler, T, P	6
abouter, T	6
aboutir, I	19
aboyer, I	17
abraser, T	6
abréger, T	14
abreuver, T, P	6
abricoter, T	6
abriter, T, P	6
abroger, T	8
abrutir, T, P	19

	n°
absenter, P	6
absorber, T, P	6
absoudre, T	72
abstenir, P	23
abstraire, T, P	61
abuser T, P	6
acagnarder, P	6
accabler, T	6
accaparer, T	6
accastiller, T	6
accéder, à	10
accélérer, T, P	10
accentuer, T, P	6
accepter, T	6
accidenter, T	6
acclamer, T	6
acclimater, T, P	6
accointer, P	6
accoler, T	6
accommoder, T, P	6
accompagner, T, P	6
accomplir, T, P	19
accorder, T, P	6
accorer, T	6
accoster, T, P	6
accoter, T, P	6
accoucher, I, ♦, T, de	6
accouder, P	6
accouer, T	6
accoupler, T, P	6
accourcir, I	19
accourir, I, ♦	33
accoutrer, T, P	6
accoutumer, T, P	6
accréditer, T, P	6
accrocher, I, T, P	6
accroire, T	D
≃ infinitif	
accroître, T, P	67
accroupir, P	19
accueillir, T	28
acculer, T	6

	n°
acculturer, T	6
accumuler, T, P	6
accuser, T, P	6
acenser, T	6
acérer, T	10
acétifier, T	15
acétyler, T	6
achalander, T	6
acharner, T, P	6
acheminer, T, P	6
acheter, T	12
achever, T, P	9
achopper, sur, P	6
acidifier, T, P	15
aciduler, T	6
aciérer, T	10
aciériser, T	6
aciseler, T	12
acoquiner, P	6
acquérir, T, P	24
acquiescer, I, à	7
acquitter, T, P	6
acter, T	6
actionner, T	6
activer, I, T, P	6
actualiser, T	6
adapter, T, P	6
additionner, T, P	6
adhérer, à	10
adjectiver, T	6
adjectiviser, T	6
adjoindre, T, P	58
adjuger, T, P	8
adjurer, T	6
admettre, T	56
administrer, T, P	6
admirer, T	6
admonester, T	6
adoniser, P	6
adonner, P	6
adopter, T	6
adorer, T	6

	n°
adosser, T, P	6
adouber, I, T	6
adoucir, T, P	19
adresser, T, P	6
adsorber, T	6
aduler, T	6
adultérer, T	10
advenir, I, ♦, il	23
aérer, T, P	10
affabuler, T	6
affadir, T, P	19
affaiblir, T, P	19
affairer, P	6
affaisser, T, P	6
affaiter, T	6
affaler, T, P	6
affamer, T	6
afféager, T	8
affecter, T	6
affectionner, T	6
afférer, I	10
affermer, T	6
affermir, T, P	19
afficher, T, P	6
affiler, I	6
affilier, T, P	15
affiner, T, P	6
affirmer, T, P	6
affleurer, I, T	6
affliger, T, P	8
afflouer, T	6
affluer, I	6
affoler, I, T, P	6
affouager, T	8
affourcher, T	6
affour(r)ager, T	8
affranchir, T, P	19
affréter, T	10
affriander, T	6
affricher, T	6
affrioler, T	6
affriter, T	6
	n°
affronter, T, P	6
affruiter, I	6
affubler, T, P	6
affurer, I, T	6
affûter, T	6
africaniser, T, P	6
agacer, T, P	7
agencer, T, P	7
agenouiller, P	6
agglomérer, T, P	10
agglutiner, T, P	6
aggraver, T, P	6
agioter, I	6
agir, I, P, il de	19
agiter, T, P	6
agneler, I	11
agonir, T	19
agoniser, I	6
agrafer, T	6
agrandir, T, P	19
agréer, T	13
agréger, T, P	14
agrémenter, T	6
agresser, T	6
agricher, T	6
agriffer, P	6
agripper, T, P	6
aguerrir, T, P	19
aguicher, T	6
ahaner, I	6
aheurter, P	6
ahurir, T	19
aider, T, à P, de	6
aigrir, I, T, P	19
aiguiller, T	6
aiguilleter, T	11
aiguillonner, T	6
aiguiser, T, P	6
ailler, T	6
aimanter, T	6
aimer, T, P	6
airer, I	6
	n°
ajointer, T	6
ajourer, T	6
ajourner, T	6
ajouter, T, P	6
ajuster, T, P	6
alambiquer, T	6
alanguir, T, P	19
alarmer, T, P	6
alcaliniser, T	6
alcaliser, T	6
alcooliser, T, P	6
alentir, T	19
alerter, T	6
aléser, T	10
aleviner, T	6
aliéner, T, P	10
aligner, T, P	6
alimenter, T, P	6
aliter, T, P	6
allaiter, T	6
allécher, T	10
alléger, T	14
allégir, T	19
allégoriser, T	6
alléguer, T	10
aller, I, ♦, P, en	22
allier, T, P	15
allonger, I, T, P	8
allouer, T	6
allumer, T, P	6
alluvionner, I	6
alourdir, T, P	19
alpaguer, T	6
alphabétiser, T	6
altérer, T, P	10
alterner, I, T	6
aluminer, T	6
aluner, T	6
alunir, I, ♦	19
amadouer, T	6
amaigrir, T, P	19
amalgamer, T, P	6

	n°
amariner, T, P	6
amarrer, T	6
amasser, T, P	6
amatir, T	19
ambitionner, T	6
ambler, I	6
ambrer, T	6
améliorer, T, P	6
aménager, T	8
amender, T, P	6
amener, T, P	9
amenuiser, T, P	6
américaniser, T, P	6
amerrir, I, ♦	19
ameublir, T	19
ameuter, T	6
amidonner, T	6
amincir, T, P	19
amnistier, T	15
amodier, T	15
amoindrir, T	19
amollir, T, P	19
amonceler, T, P	11
amorcer, T, P	7
amordancer, T	7
amortir, T, P	19
amouracher, P	6
amplifier, T, P	15
amputer, T	6
amuïr, P	19
amurer, T	6
amuser, T, P	6
analgésier, T	15
analyser, T, P	6
anastomoser, P	6
anathématiser, T	6
ancrer, T, P	6
anéantir, T, P	19
anémier, T	15
anesthésier, T	15
anglaiser, T	6
angliciser, T, P	6

	n°
angoisser, T	6
anhéler, I	10
animaliser, T	6
animer, T, P	6
aniser, T	6
ankyloser, T, P	6
anneler, T	11
annexer, T, P	6
annihiler, T	6
annoncer, T, P	7
annoter, T	6
annuler, T, P	6
anoblir, T, P	19
ânonner, T	6
anordir, I	19
anticiper, I, T	6
antidater, T	6
aoûter, T, P	6
apaiser, T, P	6
apanager, T	8
apercevoir, T, P de	38
apeurer, T	6
apiquer, T	6
apitoyer, T, P	17
aplanir, T, P	19
aplatir, T, P	19
apostasier, I	15
aposter, T	6
apostiller, T	6
apostropher, T	6
appairer, T	6
apparaître, I, ♦	64
appareiller, T	6
apparenter, P	6
apparier, T	15
apparoir	D
≃ il appert	
appartenir à, P	23
appâter, T	6
appauvrir, T, P	19
appeler, T, P	11
appendre, T	53

	n°
appesantir, T, P	19
appéter, T	10
applaudir, T, P	19
appliquer, T, P	6
appointer, T, P	6
appointir, T	19
apponter, I	6
apporter, T	6
apposer, T	6
apprécier, T	15
appréhender, T	6
apprendre, T, P	54
apprêter, T, P	6
apprivoiser, T, P	6
approcher, T, P de	6
approfondir, T, P	19
approprier, T, P	15
approuver, T	6
approvisionner, T, P	6
appuyer, T, P	17
apurer, T	6
arabiser, T, P	6
araser, T	6
arbitrer, T	6
arborer, T	6
arboriser, I	6
arc-bouter, T, P	6
archaïser, I	6
architecturer, T	6
archiver, T	6
arçonner, T	6
ardoiser, T	6
argenter, T	6
argotiser, I	6
argougner, T	6
arguer [arge], T	6
arguer [argye], T, de	6
argumenter, I	6
armer, T, P	6
armorier, T	15
arnaquer, T	6
aromatiser, T	6

	n°
arpéger, I, T	14
arpenter, T	6
arquepincer, T	7
arquer, I, T, P	6
arracher, T, P	6
arraisonner, T	6
arranger, T, P	8
arrenter, T	6
arrérager, I, P	8
arrêter, I, T, P	6
arriérer, T, P	10
arrimer, T	6
ar(r)iser, I	6
arriver, I, ♦	6
arroger, P	8
arrondir, T, P	19
arroser, T	6
arsouiller, P	6
articuler, T, P	6
ascensionner, I, T	6
aseptiser, T	6
aspecter, T	6
asperger, T, P	8
asphalter, T	6
asphyxier, T, P	15
aspirer, T, à	6
assagir, T, P	19
assaillir, T	29
assainir, T	19
assaisonner, T	6
assarmenter, T	6
assassiner, T	6
assavoir	D
≃ infinitif	
asssécher, T, P	10
assembler, T, P	6
assener, T	9
aussi asséner, T	10
asseoir, T, P	49
assermenter, T	6
asservir, T, P	19
assibiler, T, P	6

	n°
assiéger, T	14
assigner, T	6
assimiler, T, P	6
assister, T, à	6
associer, T, P	15
assoler, T	6
assombrir, T, P	19
assommer, T	6
assoner, I	6
assortir, T, P	19
assoupir, T, P	19
assouplir, T, P	19
assourdir, T	19
assouvir, T, P	19
assujettir, T, P	19
assumer, T, P	6
assurer, T, P	6
asticoter, T	6
astiquer, T	6
astreindre, T, P	57
atermoyer, I	17
atomiser, T	6
atrophier, T, P	15
attabler, T, P	6
attacher, T, P	6
attaquer, T, P	6
attarder, T, P	6
atteindre, T	57
atteler, T, P, à	11
attendre, I, T, P, à	53
attendrir, T, P	19
attenter, T, à	6
atténuer, T, P	6
atterrer, T	6
atterrir, I, ♦	19
attester, T	6
attiédir, T, P	19
attifer, T, P	6
attiger, I	8
attirer, T	6
attiser, T	6
attitrer, T	6

	n°
attraper, T, P	6
attribuer, T, P	6
attriquer, T	6
attrister, T, P	6
attrouper, T, P	6
aubiner, T	6
auditionner, T	6
augmenter, I, ♦, T, P	6
augurer, T	6
auréoler, T, P	6
aurifier, T	15
ausculter, T	6
authentifier, T	15
authentiquer, T	6
autodéterminer, P	6
autofinancer, P	7
autographier, T	15
autoguider, P	6
automatiser, T	6
autopolor, T	15
autoriser, T, P	6
autosuggestionner, P	6
autotomiser, P	6
avachir, T, P	19
avaler, T	6
avaliser, T	6
avancer, I, T, P	7
avantager, T	8
avarier, T	15
avenir, I	D
≃ avenant	
aventurer, T, P	6
avérer, T, P	10
avertir, T	19
aveugler, T, P	6
aveulir, T, P	19
avilir, T, P	19
aviner, T	6
aviser, I, T, P	6
avitailler, T	6
aviver, T	6
avoir, T	1

	n°
avoisiner, T	6
avorter, I	6
avouer, T, P	6
avoyer, T	17
axer, T	6
axiomatiser, T	6
azurer, T	6

b

	n°
babiller, I	6
bâcher, T	6
bachoter, I, T	6
bâcler, T	6
badauder, I	6
badigeonner, T	6
badiner, I	6
baffer, T	6
bafouer, T	6
bafouiller, I, T	6
bâfrer, I, T	6
bagarrer, I, P	6
bagotter, I	6
bagouler, I, T	6
baguenauder, I, P	6
baguer, T	6
baigner, I, T, P	6
bailler, T	6
(la bailler belle)	
bâiller, I	6
(bâiller d'ennui)	
bâillonner, T	6
baiser, T	6
baisoter, T	6
baisser, I, T, P	6
balader, T, P	6
balafrer, T	6
balancer, I, T, P	7

	n°
balanstiquer, T	6
balayer, T	16
balbutier, I, T	15
baleiner, T	6
baliser, T	6
balkaniser, T, P	6
ballaster, T	6
baller, I	6
ballonner, T	6
ballotter, I, T	6
bambocher, I	6
banaliser, T	6
bancher, T	6
bander, I, T, P	6
banner, T	6
bannir, T	19
banquer, I, T	6
banqueter, I	11
baptiser, T	6
baqueter, T	11
baragouiner, I, T	6
baraquer, I,	6
baratiner, I, T	6
baratter, T	6
barber, T	6
barbifier, T	15
barboter, I, T	6
barbouiller, T	6
barder, I, ça T	6
baréter, I	10
barguigner, I	6
barioler, T	6
baronner, T	6
barouder, I	6
barrer, I, T, P	6
barricader, T, P	6
barrir, I	19
basaner, T	6
basculer, I, T	6
baser, T, P	6
bassiner, T	6
bastillonner, T	6

	n°
bastionner, T	6
batailler, I	6
bateler, T	11
bâter, T	6
batifoler, I	6
bâtir, T	19
bâtonner, T	6
battre, I, T, P	55
bauger, P	8
bavarder, I	6
bavasser, I	6
baver, I	6
bavocher, I	6
bayer, I	16
(aux corneilles)	
bazarder, T	6
béatifier, T	15
bêcher, I, T	6
bécoter, T	6
becquer, T	6
becqueter, T	11
becter, T	6
bedonner, I	6
béer	13
béant	
bouche bée	
bégayer, I, T	16
bégueter, I	12
bêler, I, T	6
bémoliser, T	6
bénéficier, de	15
bénir, T	19
(une union bénie)	
(l'eau bénite)	
béquer, T	10
béqueter, T	11
béquiller, I, T	6
bercer, T, P	7
berner, T	6
besogner, I	6
bêtifier, I	15
bêtiser, I	6

	n°
bétonner, T	6
beugler, I, T	6
beurrer, T, P	6
biaiser, I	6
bibeloter, I	6
biberonner, I	6
bicher, I, ça	6
bichonner, T	6
bichoter, ça	6
bidonner, P	6
bienvenir	D
≃ infinitif	
biffer, T	6
bifurquer, I	6
bigarrer, T	6
bigler, I, T	6
bigorner, T	6
biler, P	6
billancher, I	6
billebauder, I	6
billonner, T	6
biloquer, T	6
biner, I, T	6
biscuiter, T	6
biseauter, T	6
bisegmenter, T	6
biser, I, T	6
bisquer, I	6
bissecter, T	6
bisser, T	6
bistourner, T	6
bistrer, T	6
biter, T	6
bitter, T	6
bitumer, T	6
bituminer, T	6
bit(t)urer, P	6
bivouaquer, I	6
bizuter, T	6
blablater, I	6
blackbouler, T	6
blaguer, I, T	6

	n°
blairer, T	6
blâmer, T	6
blanchir, I, T, P	19
blaser, T, P	6
blasonner, T	6
blasphémer, I, T	10
blatérer, I	10
blêmir, I, T	19
bléser, I	10
blesser, T, P	6
blettir, I	19
bleuir, I, T	19
bleuter, T	6
blinder, T	6
blondir, I, T	19
blondoyer, I	17
bloquer, T, P	6
blottir, P	19
blouser, I, T	6
bluffer, I, T	6
bluter, T	6
bobiner, T	6
bocarder, T	6
boetter, T	6
boire, T	69
boiser, T	6
boiter, I	6
boîter, T	6
boitiller, I	6
bolchéviser, T	6
bombarder, T	6
bomber, I, T	6
bonder, T	6
bondériser, T	6
bondir, I	19
bondonner, T	6
bonifier, T, P	15
bonimenter, I	6
border, T	6
borner, T, P	6
bornoyer, I, T	17
bosseler, T, P	11

	n°
bosser, T	6
bossuer, T	6
bostonner, I	6
botaniser, I	6
botteler, T	11
botter, I, T	6
boubouler, I	6
boucaner, T	6
boucharder, T	6
boucher, T, P	6
bouchonner, T	6
boucler, I, T, P	6
bouder, I, T	6
boudiner, T	6
bouffer, I, T, P	6
bouffir, I, T	19
bouffonner, I	6
bouger, I, T, P	8
bougonner, I	6
bouillir, I, T	31
bouillonner, I	6
bouillotter, I	6
boulanger, I, T	8
bouler, I, T	6
bouleverser, T	6
boulonner, I, T	6
boulotter, T	6
boumer, I, ça	6
bouquiner, I, T	6
bourder, I	6
bourdonner, I	6
bourgeonner, I	6
bourlinguer, I	6
bourreler, T	11
bourrer, I, T, P	6
bourriquer, I	6
boursicoter, I	6
boursoufler, T, P	6
bousculer, T, P	6
bousiller, I, T	6
boustifailler, I	6
bouter, T	6

	n°
boutonner, I, T, P	6
bouturer, I	6
boxer, I, T	6
boycotter, T	6
braconner, I, T	6
brader, T	6
brailler, I, T	6
braire, I	61
braiser, T	6
bramer, I, T	6
brancher, I, T, P	6
brandiller, I, T	6
brandir, T	19
branler, I, T, P	6
braquer, I, T, P	6
braser, T	6
brasiller, I	6
brasser, T, P	6
braver, T	6
brayer, T	16
bredouiller, I, T	6
bréler, T	10
brêler, T	6
breller, T	6
brésiller, T, P	6
bretailler, I	6
bretteler, T	11
bretter, T	6
breveter, T	11
bricoler, I, T	6
brider, T	6
bridger, I	8
brif(f)er, T	6
brigander, I, T	6
briguer, T	6
brillanter, T	6
brillantiner, T	6
briller, I	6
brimbaler, I, T	6
brimer, T	6
bringueballer, I, T	6
brinquebal(l)er, I, T	6

	n°
briquer, T	6
briqueter, T	11
briser, T, P	6
brocanter, T	6
brocarder, T	6
brocher, T	6
broder, I, T	6
broncher, I	6
bronzer, I, T, P	6
brosser, I, T, P	6
brouetter, T	6
brouillasser, il	6
brouiller, T, P	6
brouillonner, T	6
brouter, I, T	6
broyer, T	17
bruiner, il	6
bruir, T	19
bruire, I, T	D
$\simeq$ il bruit
ils bruissent
il bruissait
ils bruissaient
qu'il bruisse
qu'ils bruissent
p. pr. bruissant
(adj. : bruyant)
bruiter, I	6
brûler, I, T, P	6
brumasser, il	6
brumer, il	6
brunir, I, T, P	19
brusquer, T	6
brutaliser, T	6
bûcher, I, T	6
budgétiser, T	6
bureaucratiser, T, P	6
buriner, T	6
busquer, T	6
buter, I, T	6
butiner, I, T	6
butter, T	6
buvoter, I	6

C

	n°
cabaler, I	6
cabaner, T	6
câbler, T	6
cabosser, T	6
caboter, I	6
cabotiner, I	6
cabrer, T, P	6
cabrioler, I	6
cacaber, I	6
cacarder, I	6
cacher, T, P	6
cacheter, T	11
cadancher, I	6
cadastrer, T	6
cadenasser, T	6
cadencer, I, T	7
cadrer, I, T	6
cafarder, T	6
cafouiller, I	6
cafter, I, T	6
cagnarder, I	6
cagner, I	6
cahoter, I, T	6
caillebotter, I, T	6
cailler, I, P	6
cailleter, I	11
caillouter, T	6
cajoler, T	6
calaminer, P	6
calamistrer, T	6
calancher, I	6
calandrer, T	6
calciner, T	6
calculer, I, T	6
caler, T, P	6

	n°
caleter, I, P	12
calfater, T	6
calfeutrer, T, P	6
calibrer, T	6
câliner, T	6
calligraphier, T	15
calmer, T, P	6
calmir, I	19
calomnier, T	15
calorifuger, T	8
calotter, T	6
calquer, T	6
calter, I, P	6
cambrer, T	6
cambrioler, T	6
cambuter, I, T	6
cameloter, I	6
camionner, T	6
camoufler, T	6
camper, I, ♦, T, P	6
canaliser, T	6
canarder, I, T	6
cancaner, I	6
candir, T, P	19
caner, I	6
can(n)er, I	6
canneler, T	11
canner, I, T	6
canoniser, T	6
canonner, T	6
canoter, I	6
cantonner, I, T, P	6
canuler, I, T	6
caoutchouter, T	6
caparaçonner, T, P	6
capéer, I	13
capeler, T	11
capeyer, I	6
capitaliser, I, T	6
capitonner, T, P	6
capituler, I	6
caponner, I	6

	n°
caporaliser, T	6
capoter, I, T	6
capsuler, T	6
capter, T	6
captiver, T, P	6
capturer, T	6
capuchonner, T	6
caquer, T	6
caqueter, I	11
caracoler, I	6
caractériser, T, P	6
caramboler, I, T, P	6
caraméliser, I, T, P	6
carapater, P	6
carbonater, T	6
carboniser, T	6
carburer, I, T	6
carcailler, I	6
carder, T	6
carencer, T	7
caréner, T	10
caresser, T	6
carguer, T	6
caricaturer, T	6
carier, T, P	15
carillonner, I, T	6
carmer, T	6
carminer, T	6
carnifier, P	15
carotter, I, T	6
caroubler, T	6
carreler, T	11
carrer, T, P	6
carrosser, T	6
carroyer, T	17
cartayer, I	16
cartonner, T	6
cascader, I	6
caséifier, T	15
casemater, T	6
caser, T, P	6
caserner, T	6

	n°
casquer, I, T	6
casser, I, T, P	6
castagner, P	6
castrer, T	6
cataloguer, T	6
catalyser, T	6
catapulter, T	6
catastropher, T	6
catcher, I	6
catéchiser, T	6
catir, T	19
cauchemarder, I	6
causer, I, T	6
cautériser, T	6
cautionner, T	6
cavalcader, I	6
cavaler, I, T, P	6
caver, I, T, P	6
caviarder, T	6
céder, I, T	10
ceindre, T	57
ceinturer, T	6
célébrer, T	10
celer, T	12
cémenter, T	6
cendrer, T	6
censurer, T	6
centraliser, T	6
centrer, T	6
centrifuger, T	8
centupler, I, T	6
cercler, T	6
cerner, T	6
certifier, T	15
cesser, I, T de	6
chabler, T	6
chagriner, T	6
chahuter, I, T	6
chaîner, T	6
challenger, T	8
chaloir	D
(peu lui chaut...)	

	n°
chalouper, I	6
chamailler, P	6
chamarrer, T	6
chambarder, T	6
chambouler, T	6
chambrer, T	6
chamoiser, T	6
champagniser, T	6
champlever, T	9
chanceler, I	11
chancir, I, P	19
chanfreiner, T	6
changer, I, ♦, T, P	8
chansonner, T	6
chanstiquer, I, T	6
chanter, I, T	6
chantonner, I, T	6
chantourner, T	6
chaparder, T	6
chapeauter, T	6
chapeler, T	11
chaperonner, T	6
chapitrer, T	6
chaponner, T	6
chaptaliser, T	6
charbonner, I, T	6
charcuter, T	6
charger, T, P	8
charmer, T	6
charpenter, T	6
charrier, I, T	15
charroyer, T	17
chasser, I, T	6
châtier, T	15
chatonner, I	6
chatouiller, T	6
chatoyer, I	17
châtrer, T	6
chauffer, I, T, P	6
chauler, T	6
chaumer, I, T	6
chausser, I, T, P	6

	n°
chauvir, I	19
chavirer, I, ♦, T	6
ch(e)linguer, I, T	6
cheminer, I	6
chemiser, T	6
chercher, I, T, P	6
chérer, I	10
chérir, T	19
cherrer, I	6
chevaler, T	6
chevaucher, I, T, P	6
cheviller, T	6
chevreter, I	11
chevronner, T	6
chevroter, I	6
chiader, T	6
chialer, I	6
chicaner, I, T	6
chicoter, I	6
chienner, I	6
chier, I, T	15
chiffonner, I, T	6
chiffrer, I, T	6
chiner, T	6
chinoiser, I	6
chiper, T	6
chipoter, I, T, P	6
chiquer, I, T	6
chirographier, T	15
chlorer, T	6
chloroformer, T	6
chlorurer, T	6
chniquer, I	6
choir, I	52
choisir, T	19
chômer, I, T	6
choper, T	6
chopiner, I	6
chopper, I	6
choquer, T	6
chosifier, T	15
chouchouter, T	6

	n°
chouraver, T	6
chouriner, T	6
choyer, T	17
christianiser, T	6
chromer, T	6
chroniquer, I	6
chronométrer, T	10
chroumer, I, T	6
chuchoter, I, T	6
chuinter, I	6
chuter, I, T	6
cicatriser, I, T, P	6
ciller, I, T	6
cimenter, T	6
cinématographier, T	15
cingler, I, T	6
cintrer, T	6
circoncire, T	81
circonscrire, T, P	80
circonstancier, T	15
circonvenir, T	23
circuler, I	6
cirer, T	6
cisailler, T	6
ciseler, T	12
citer, T	6
civiliser, T, P	6
clabauder, I	6
claboter, I, T	6
claironner, I, T	6
clamer, T	6
clamper, T	6
clamser, I	6
claper, T	6
clapir, I	19
clapoter, I	6
clapper, I	6
clapser, I	6
claquemurer, T	6
claquer, I, T, P	6
claqueter, I	11
clarifier, T	15

	n°
classer, T, P	6
classifier, T	15
claudiquer, I	6
claustrer, T	6
claver, T	6
clavet(t)er, T	11
clayonner, T	6
clicher, T	6
cligner, I, T, de	6
clignoter, I	6
climatiser, T	6
cliqueter, I	11
clisser, T	6
cliver, T, P	6
clochardiser, T, P	6
clocher, I, T	6
cloisonner, T	6
cloîtrer, T, P	6
clopiner, I	6
cloquer, I	6
clore, T	70
clôturer, I, T	6
clouer, T	6
clouter, T	6
coaguler, I, T, P	6
coaliser, T, P	6
coasser, I	6
cocher, T	6
côcher, T	6
cochonner, I, T	6
cocufier, T	15
coder, T	6
codifier, T	15
coexister, I	6
coffrer, T	6
cogiter, I, T	6
cogner, I, T, P	6
cohabiter, I	6
cohériter, I	6
coiffer, T, P	6
coincer, T, P	7
coïncider, I	6

	n°
cokéfier, T	15
collaborer, I à	6
collationner, T	6
collecter, T, P	6
collectionner, T	6
collectiviser, T	6
coller, I, T, P	6
colleter, T	11
colliger, T	8
colloquer, T	6
colmater, T	6
coloniser, T	6
colorer, T, P	6
colorier, T	15
colporter, T	6
coltiner, T	6
combattre, I, T	55
combiner, T, P	6
combler, T	6
commander, I, T, P	6
commanditer, T	6
commémorer, T	6
commencer, I, T, P	7
commenter, T	6
commercer, I	7
commercialiser, T	6
commérer, I	10
commettre, T, P	56
commissionner, T	6
commotionner, T	6
commuer, T	6
communaliser, T	6
communier, I	15
communiquer, I, T, P	6
commuter, T	6
comparaître, I	64
comparer, T, P	6
comparoir, I	D
être assigné à c.	
compartimenter, T	6
compasser, T	6
compatir, à	19

	n°
compenser, T	6
compéter, à	10
compiler, T	6
complaire, à, P	63
compléter, T	10
complexer, T	6
complexifier, T	15
complimenter, T	6
compliquer, T, P	6
comploter, I, T	6
comporter, T, P	6
composer, I, T, P	6
composter, T	6
comprendre, T, P	54
comprimer, T	6
compromettre, T, P	56
comptabiliser, T	6
compter, I, T, P	6
compulser, T	6
computer, T	6
concasser, T	6
concéder, T	10
concélébrer, T	10
concentrer, T, P	6
conceptualiser, T	6
concerner, T	6
concerter, I, T, P	6
concevoir, T	38
concilier, T, P	15
conclure, T	71
concocter, T	6
concorder, I	6
concourir, I, T	33
concréter, T	10
concrétiser, T, P	6
concurrencer, T	7
condamner, T	6
condenser, T	6
condescendre à,	53
conditionner, T	6
conduire, T, P	82
confectionner, T	6

	n°
conférer, I, T	10
confesser, T, P	6
confier, T, P	15
configurer, T	6
confiner, à, T, P	6
confire, T, P	81
confirmer, T, P	6
confisquer, T	6
confluer, I	6
confondre, T, P	53
conformer, T, P	6
conforter, T	6
confronter, T	6
congédier, T	15
congeler, T, P	12
congestionner, T, P	6
conglomérer, T	10
conglutiner, T	6
congratuler, T, P	6
congréer, T	13
cônir, T	19
conjecturer, T	6
conjoindre, T	58
conjuguer, T, P	6
conjurer, T, P	6
connaître, T, P	64
connecter, T	6
connoter, T	6
conobrer, T	6
conquérir, T	24
consacrer, T, P	6
conseiller, T	6
consentir, à, T	25
conserver, T, P	6
considérer, T	10
consigner, T	6
consister en à	6
consoler, T, P	6
consolider, T	6
consommer, I, T	6
consoner, I	6
conspirer, I, T	6

	n°
conspuer, T	6
constater, T	6
consteller, T, P	6
consterner, T	6
constiper, T	6
constituer, T, P	6
constitutionnaliser, T	6
construire, T	82
consulter, I, T, P	6
consumer, T, P	6
contacter, T	6
contagionner, T	6
containeriser, T	6
contaminer, T	6
contempler, T	6
contenir, T, P	23
contenter, T, P, de	6
conter, T	6
contester, I, T	6
contingenter, T	6
continuer, I, T, P	6
contorsionner, T, P	6
contourner, T	6
contracter, T, P	6
contractualiser, T	6
contracturer, T	6
contraindre, T, P	59
contrarier, T	15
contraster, I, T	6
contre-attaquer, T	6
contrebalancer, T	7
contrebattre, T	55
contrebouter, T	6
contrebuter, T	6
ou contre-buter, T	6
contrecarrer, T	6
contredire, T, P	78
contrefaire, T	62
contreficher, P	6
ou contrefiche, P	
contrefoutre, P	D 53

	n°
contre-indiquer, T	6
contremander, T	6
contre-manifester, I	6
contremarquer, T	6
contre-miner, T	6
contre-murer, T	6
contre-passer, T	6
contre-plaquer, T	6
contrer, I, T	6
contre-sceller, T	6
contresigner, T	6
contre-tirer, T	6
contrevenir, à	23
contribuer, à	6
contrister, T	6
contrôler, T, P	6
controuver, T	6
controverser, I, T	6
contusionner, T	6
convaincre, T, P, de	60
convenir, I, ♦, T, P, de	23
conventionner, T	6
converger, I	8
converser, I	6
convertir, T, P	19
convier, T	15
convoiter, T	6
convoler, I	6
convoquer, T	6
convoyer, T	17
convulser, T, P	6
convulsionner, T	6
coopérer, à	10
coopter, T	6
coordonner, T	6
copartager, T	8
copermuter, T	6
copier, T	15
copiner, I	6
coposséder, T	10
coquer, T	6

	n°
coqueter, I	11
coquiller, I	6
cordeler, T	11
corder, T, P	6
cordonner, T	6
corner, I, T	6
correctionnaliser, T	6
correspondre, I, à, P	53
corriger, T, P	8
corroborer, T	6
corroder, T	6
corrompre, T, P	53
corroyer, T	17
corser, T, P	6
corseter, T	12
cosmétiquer, T	6
cosser, I	6
costumer, T, P	6
coter, T	6
cotir, T	19
cotiser, I, P	6
cotonner, T, P	6
côtoyer, T	17
coucher, I, T, P	6
couder, T	6
coudoyer, T	17
coudre, T	73
couillonner, T	6
couiner, I	6
couler, I, T, P	6
coulisser, I, T	6
coupailler, T	6
coupeller, T	6
couper, I, T, P	6
coupler, T	6
courailler, I	6
courbaturer, T	6
p.p. : courbaturé ou courbatu	
courber, T, P	6
courir, I, T	33
couronner, T, P	6

	n°
courre, I	D
chasse à courre	
courroucer, T, P	7
courtauder, T	6
court-circuiter, T	6
courtiser, T	6
cousiner, I	6
coûter, I, T	6
couturer, T	6
couver, I, T	6
couvrir, T, P	27
cracher, T, P	6
crachiner, il	6
crachoter, I	6
crachouiller, I	6
crailler, I	6
craindre, T	59
cramer, I, T	6
cramponner, T, P	6
crampser, I	6
cramser, I	6
craner, T	6
crâner, I	6
cranter, T	6
crapahuter, I, P	6
crapaüter, I, P	6
crapuler, I	6
craqueler, T, P	11
craquer, I, T	6
craqueter, I	11
crasser, T	6
cravacher, I, T	6
cravater, T	6
crawler, I	6
crayonner, T	6
crécher, I	10
créditer, T	6
créer, T	13
crémer, I	10
créneler, T	11
créner, T	10
créosoter, T	6

	n°
crêper, T, P	
crépir, T	19
crépiter, I	6
crétiniser, T	6
creuser, T, P	6
crevasser, T, P	6
crever, I, ♦, T, P	9
criailler, I	6
cribler, T	6
crier, I, T	15
criminaliser, T	6
crisper, T, P	6
crisser, I	6
cristalliser, I, T, P	6
criticailler, I, T	6
critiquer, T	6
croasser, I	6
crocher, I, T	6
crocheter, T	12
croire, I, T, à, P	68
croiser, I, T, P	6
croître, I, ♦	67
croquer, I, T	6
crosser, T	6
crotter, I, T	6
crouler, I, ♦	6
croupionner, I	6
croupir, I, ♦	19
croustiller, I	6
croûter, I, T	6
crucifier, T	15
cuber, I, T	6
cueillir, T	28
cuirasser, T, P	6
cuire, T	82
cuisiner, T	6
cuiter, P	6
cuivrer, T	6
culbuter, I, T	6
culer, I, T	6
culminer, I	6
culotter, T, P	6

	n°
iliser, T	6
er, T, P	6
ler, T	6
T, P	6
er, T	11
er, T	11
r, I, T	6
iser, T	6
indrer, T	6

d

	n°
dactylographier, T	15
daguer, T	6
daigner, + inf. T	6
daller, T	6
damasquiner, T	6
damasser, T	6
damer, T	6
damner, I, T, P	6
dandiner, T, P	6
danser, I, T	6
dansotter, I	6
darder, I, T, P	6
dater, I, T	6
dauber, I, T	6
déactiver, T	6

	n°
déambuler, I	6
débâcher, I, T, P	6
débâcler, I	6
débagouler, I, T	6
déballer, I, T	6
déballonner, P	6
débalourder, T	6
débanaliser, T	6
débander, T, P	6
débanquer, T	6
débaptiser, T	6
débarbouiller, T, P	6
débarder, T	6
débarquer, I, T	6
débarrasser, T, P	6
débarrer, T	6
débâter, T	6
débâtir, T	19
débattre, T, P	55
débaucher, T, P	6
débecqueter, T	11
débecter, T	6
débiliter, T	6
débillarder, T	6
débiner, T, P	6
débiter, T,	6
déblatérer, I, contre	10
déblayer, T	16
débleuir, T	19
débloquer, I, T	6
débobiner, T	6
déboetter, T	6
déboiser, T	6
déboîter, I, T, P	6
déborder, I, ♦ T, P	6
débosseler, T	11
débotter, T	6
déboucher, I, T	6
déboucler, T	6
débouder, I, T, P, ♦	6
débouillir, T	31
débouler, I, T	6

	n°
déboulonner, T	6
débouquer, I	6
débourber, T	6
débourrer, I, T	6
débourser, T	6
déboussoler, T	6
débouter, T	6
déboutonner, T, P	6
débrailler, P	6
débrancher, T	6
débrayer, T	16
débrider, I, T	6
débrocher, T	6
débrouiller, T, P	6
débroussailler, T	6
débucher, I, T	6
débudgétiser, T	6
débuller, T	6
débureaucratiser, T	6
débusquer, T	6
débuter, I, T	6
décacheter, T	11
décadenasser, T	6
décaféiner, T	6
décaisser, T	6
décalaminer, T	6
décalcifier, T, P	15
décaler, T	6
décalotter, T	6
décalquer, T	6
décambuter, I	6
décamper, I, ♦	6
décaniller, I	6
décanter, I, T, P	6
décapeler, T	11
décaper, T	6
décapiter, T	6
décapoter, T	6
décapsuler, T	6
décapuchonner, T	6
décarbonater, T	6
décarburer, T	6

	n°
décarcasser, T, P	6
décarreler, T, P	11
décarrer, I	6
décartonner, T	6
décatir, T, P	19
décéder, I, ♦	10
déceler, T	12
décélérer, I	10
décentraliser, T	6
décentrer, T, P	6
décercler, T	6
décerner, T	6
décesser, T	6
décevoir, T	38
déchagriner, T	6
déchaîner, T, P	6
déchanter, I	6
déchaper, T	6
déchaperonner, T	6
décharger, I, T, P	8
décharner, T	6
déchaumer, T	6
déchausser, T, P	6
déchevêtrer, T	6
décheviller, T	6
déchiffonner, T	6
déchiffrer, T	6
déchiqueter, T	11
déchirer, T, P	6
déchlorurer, T	6
déchoir, I, ♦	52
déchristianiser, T	6
déchromer, T	6
décider, de, T, P	6
décimer, T	6
décintrer, T	6
déclamer, I, T	6
déclarer, T, P	6
déclasser, T	6
déclaveter, T	11
déclencher, T, P	6
décléricaliser, T	6

	n°
décliner, I, T, P	6
déclinquer, T	6
décliqueter, T	11
déclocher, T	6
décloisonner, T	6
déclore, T	70
déclouer, T	6
décocher, T	6
décoder, T	6
décoffrer, T	6
décoiffer, T, P	6
décoincer, T	7
décolérer, I	10
décoller, I, T, P	8
décolleter, T, P	11
décoloniser, T	6
décommander, T, P	6
décommettre, T	56
décomplexer, T	6
décomposer, T, P	6
décomprimer, T	6
décompter, T	6
déconcentrer, T, P	6
déconcerter, T	6
déconfire, T	81
décongeler, T	12
décongestionner, T	6
déconnecter, T	6
déconner, I	6
déconseiller, T	6
déconsigner, T	6
déconstiper, T	6
décontaminer, T	6
décontenancer, T, P	7
décontracter, T, P	6
décorder, P	6
décorer, T	6
décorner, T	6
décortiquer, T	6
découcher, I	6
découdre, en T	73
découler, I	6

	n°
découper, T, P	6
découpler, T	6
décourager, T, P	8
découronner, T	6
découvrir, T, P	27
décrasser, T	6
décréditer, T	6
décrêper, T	6
décrépir, T	19
décrépiter, T	6
décréter, T	10
décreuser, T	6
décrier, T	15
décriminaliser, T	6
décriquer, T	6
décrire, T	80
décrisper, T	6
décrocher, I, T, P	6
décroiser, T	6
décroître, I, ♦	67
décrotter, T	6
décroûter, T	6
décruer, T	6
décruser, T	6
décrypter, T	6
décuire, T	82
décuivrer, T	6
déculasser, T	6
déculotter, T, P	6
déculpabiliser, T	6
décupler, I, T	6
décuver, T	6
dédaigner, T	6
dédicacer, T	7
dédier, T	15
dédire, P	78
dédiviniser, T	6
dédommager, T, P	8
dédorer, T	6
dédouaner, T, P	6
dédoubler, T, P	6
dédramatiser, T	6

	n°
déduire, T	82
défâcher, P	6
défaillir, I	30
défaire, T, P	62
défalquer, T	6
défarder, T	6
défatiguer, T, P	6
défaufiler, T	6
défausser, T, P	6
défavoriser, T	6
défendre, T, P	53
déféquer, I, T	10
déférer, à T	10
déferler, I, T	6
déferrer, T	6
déferriser, T	6
défeuiller, T	6
défeutrer, T	6
défibrer, T	6
déficeler, T	11
déficher, T	6
défier, T, P	15
défiger, T	8
défigurer, T	6
défiler, I, T, P	6
définir, T	19
déflagrer, I	6
déflaquer, I	6
défleurir, I, T	19
déflorer, T	6
défoncer, T, P	7
déformer, T	6
défouler, T, P	6
défourailler, I, T	6
défourner, T	6
défourrer, T	6
défoxer, T	6
défraîchir, T	19
défranciser, T	6
défrayer, T	16
défretter, T	6
défricher, T	6

	n°
défrimer, T	6
défringuer, T, P	6
défriper, T	6
défriser, T	6
défroisser, T	6
défroncer, T	7
défroquer, I, T, P	6
défruiter, T	6
dégager, I, T, P	8
dégainer, T	6
dégalonner, T	6
déganter, P	6
dégarnir, T, P	19
dégasoliner, T	6
dégauchir, T	19
dégazer, I, T	6
dégazoliner, T	6
dégazonner, T	6
dégeler, I, ♦, T, il	12
dégénérer, I, ♦,	10
dégermer, I	6
dégingander, T, P	6
dégîter, T	6
dégivrer, T	6
déglacer, T	6
déglinguer, T	6
dégluer, T	6
déglutir, T	19
dégobiller, I, T	6
dégoiser, I, T	6
dégommer, T	6
dégonder, T	6
dégonfler, T, P	6
dégorger, I, T	8
dégot(t)er, I, T	6
dégoudronner, T	6
dégouliner, I	6
dégoupiller, T	6
dégourdir, T, P	19
dégoûter, T, P	6
dégoutter, I, T	6
dégrader, T, P	6

	n°
dégrafer, T, P	6
dégraisser, T	6
dégravoyer, T	17
dégréer, T	13
dégrever, T	9
dégringoler, I, T	6
dégriser, T, P	6
dégrosser, T	6
dégrossir, T	19
dégrouiller, P	6
dégrouper, T	6
déguerpir, I, T	19
dégueuler, I, T	6
déguiser, T, P	6
dégurgiter, T	6
déguster, T	6
déhaler, T, P	6
déhancher, T, P	6
déharder, T	6
déharnacher, T	6
déhotter, I, T, P	6
déifier, T	15
déjanter, T	6
déjauger, I	8
déjaunir, T	19
déjeter, T, P	11
déjeuner, de I	6
déjouer, T	6
déjucher, I, T	6
déjuger, P	8
délabialiser, T	6
délabrer, T, P	6
délacer, T	7
délainer, T	6
délaisser, T	6
délaiter, T	6
délarder, T	6
délasser, T, P	6
délatter, T, P	6
délaver, T	6
délayer, T	16
déléaturer, T	6

	n°
délecter, T, P	6
déléguer, T	10
délester, T, P	6
délibérer, I, de, T	10
délicoter, T	6
délier, T, P	15
délimiter, T	6
délinéer, T	13
délirer, I	6
délisser, T	6
déliter, T, P	6
délivrer, T	6
déloger, I, T	8
déloquer, T, P	6
délourder, T	6
délover, T	6
délurer, T	6
délustrer, T	6
déluter, T	6
démacadamiser, T	6
démacler, T	6
démaçonner, T	6
démagnétiser, T	6
démaigrir, T	19
démailler, T, P	6
démailloter, T	6
démancher, T, P	6
demander, après, T, P	6
démanger, T	8
démanteler, T	12
démantibuler, T, P	6
démaquer, P	6
démaquiller, T, P	6
démarier, T, P	15
démarquer, T, P	6
démarrer, I, T	6
démascler, T	6
démasquer, T, P	6
démastiquer, T	6
démâter, I, T	6
dématérialiser, T	6
démazouter, I	6

	n°
démêler, T, P	6
démembrer, T	6
déménager, I, ♦, T	8
démener, P	9
démentir, T, P	25
démerder, P	6
démériter, I	6
déméthaniser, T	6
démettre, T, P	56
démeubler, T	6
demeurer, I, ♦	6
démieller, T	6
démilitariser, T	6
déminer, T	6
déminéraliser, T	6
démissionner, I, T	6
démobiliser, T	6
démocratiser, T, P	6
démoder, P	6
démolir, T	19
démonétiser, T	6
démonter, T, P	6
démontrer, T	6
démoraliser, T, P	6
démordre, I	53
démoucheter, T	11
démouler, I, T	6
démouscailler, P	6
démoustiquer, T	6
démucilaginer, T	6
démultiplier, T	15
démunir, T, P	19
démurer, T	6
démurger, I, T	8
démuseler, T	11
démutiser, T	6
démystifier, T	15
demythifier, T	15
dénantir, T	19
dénasaliser, T	6
dénationaliser, T	6
dénatter, T	6

	n°
dénaturaliser, T	6
dénaturer, T, P	6
dénazifier, T	15
dénébuliser, T	6
déneiger, T	8
dénerver, T	6
déniaiser, T	6
dénicher, I, ♦, T	6
dénickeler, T	6
dénicotiniser, T	6
dénier, T	15
dénigrer, T	6
dénitrer, T	6
dénitrifier, T	15
déniveler, T	11
dénombrer, T	6
dénommer, T	6
dénoncer, T	7
dénoter, T	6
dénouer, T, P	6
dénoyauter, T	6
dénoyer, T	17
denteler, T	11
dénucléariser, T	6
dénuder, T, P	6
dénuer, P	6
dépagnoter, P	6
dépailler, T	6
dépaisseler, T	11
dépalisser, T	6
dépanner, T	6
dépaqueter, T	11
déparaffiner, T	6
dépareiller, T	6
déparer, T	6
déparier, T	15
départager, T	8
départir, T, P, de	25
dépasser, I, T, P	6
dépassionner, T	6
dépatouiller, P	6
dépaver, T	6

	n°
dépayser, T	6
dépecer, T	c/ç → 7
	e/è → 9
dépêcher, T, P	6
dépeigner, T	6
dépeindre, T	57
dépelotonner, T	6
dépendre, ça, de, I	53
dépenser, T, P	6
dépentaniser, T	6
dépérir, I	19
dépersonnaliser, T	6
dépêtrer, T, P	6
dépeupler, T, P	6
déphaser, T	6
déphosphorer, T	6
dépiauter, T	6
dépiler, T	6
dépingler, T	6
dépiquer, T	6
dépister, T	6
dépiter, T, P	6
déplacer, T, P	7
déplafonner, T	6
déplaire, I, P	63
déplanquer, T, P	6
déplanter, T	6
déplantiner, T	6
déplâtrer, T	6
déplier, T, P	15
déplisser, T, P	6
déplomber, T	6
déplorer, T	6
déployer, T, P	17
déplumer, T, P	6
dépoétiser, T	6
dépointer, T	6
dépolariser, T	6
dépolir, T, P	19
dépolitiser, T	6
dépolluer, T	6
dépolymériser, T	6

	n°
déponer, I	6
dépontiller, I	6
déporter, T, P	6
déposer, I, T, P	6
déposséder, T	10
dépoter, T	6
dépoudrer, T	6
dépouiller, T, P	6
dépourvoir, T, P	40
dépoussiérer, T	10
dépraver, T	6
déprécier, T, P	15
déprendre, P, de	54
déprimer, T	6
dépriser, T	6
déprolétariser, T	6
dépropaniser, T	6
dépuceler, T	11
dépulper, T	6
dépurer, T	6
députer, T	6
déquiller, T	6
déraciner, T	6
dérader, I	6
dérager, I	8
déraidir, T, P	19
dérailler, I	6
déraisonner, I	6
déranger, T, P	8
déraper, I	6
déraser, T	6
dérater, T	6
dératiser, T	6
dérayer, I, T	16
dérégler, T, P	10
dérelier, T	15
dérider, T, P	6
dériver, de I, T	6
dérober, T, P	6
dérocher, T	6
déroder, T	6
déroger, I, à	8

	n
dérouiller, I, T, P	
dérouler, T, P	
dérouter, T	
désabonner, T, P	
désabuser, T	
désacclimater, T	
désaccorder, P	
désaccoupler, T	
désaccoutumer, T, P	
désacraliser, T	
désactiver, T	
désadapter, T	
désaffecter, T	
désaffectionner, P	
désaffilier, T	1
désagencer, T	
désagréger, T, P	1
désaimanter, T	
désajuster, T	
désaliéner, T	1
désaltérer, I, T, P	1
désamarrer, T	
désamidonner, T	
désamorcer, T	
désannexer, T	
désapparier, T	1
désappointer, T	
désapprendre, T	5
désapprouver, T	
désapprovisionner, T	
désarçonner, T	
désargenter, T	
désarmer, T	
désarrimer, T	
désarticuler, T, P	
désassembler, T	
désassimiler, T	
désassortir, T	19
désavantager, T	8
désaveugler, T	
désavouer, T	
désaxer, T	

	n°
desceller, T, P	6
descendre, I, ♦, T	53
déséchafauder, T	6
déséchouer, T	6
désembourber, T	6
désembourgeoiser, T	6
désembouteiller, T	6
désembrayer, T	16
désembuer, T	6
désemmancher, T	6
désemparer, I, T	6
désempeser, T	9
désemplir, T, P	19
désemprisonner, T	6
désencadrer, T	6
désencarter, T	6
désenchaîner, T	6
désenchanter, T	6
désenclaver, T	6
désencombrer, T	6
désencrasser, T	6
désénerver, T	6
désenfiler, T	6
désenflammer, T	6
désenfler, I, T	6
désenfumer, T	6
désengager, T	8
désengorger, T	8
désengrener, T	9
désenivrer, T	6
désenlacer, T	7
désenlaidir, I, T	19
désennuyer, T	17
désenrayer, T	16
désenrhumer, T	6
désenrouer, T	6
désensabler, T	6
désensibiliser, T	6
désensorceler, T	11
désentasser, T	6
désentoiler, T	6
désentortiller, T	6

	n°
désentraver, T	6
désenvaser, T	6
désenvelopper, T	6
désenvenimer, T	6
désenverguer, T	6
désépaissir, T	19
déséquilibrer, T	6
déséquiper, T	6
déserter, I, T	6
désespérer, I, T, P	10
désessencier, T	15
désétablir, T	19
désétamer, T	6
déséthaniser, T	6
déshabiller, T, P	6
déshabituer, T, P	6
désherber, T	6
déshériter, T	6
déshonorer, T, P	6
déshuiler, T	6
déshumaniser, T, P	6
déshumidifier, T	15
déshydrater, T	6
déshydrogéner, T	10
désigner, T	6
désillusionner, T	6
désincarner, P	6
désincorporer, T	6
désincruster, T	6
désinculper, T	6
désinfecter, T	6
désinsectiser, T	6
désintégrer, T, P	10
désintéresser, T, P	6
désintoxiquer, T, P	6
désinvestir, T	19
désinviter, T	6
désirer, T	6
désister, P	6
désobéir, I, à	19
désobliger, T	8
désobstruer, T	6

	n°
désoccuper, T	6
désodoriser, T	6
désoler, T, P	6
désolidariser, T, P	6
désopiler, P	6
désorber, T	6
désorbiter, T	6
désordonner, T	6
désorganiser, T	6
désorienter, T	6
désosser, T	6
désoxyder, T	6
désoxygéner, T	10
despécialiser, T	6
desquamer, T	6
dessabler, T	6
dessaisir, T, P	19
dessaler, I, T	6
dessangler, T	6
dessaouler, I, T	6
dessécher, T, P	10
desseller, T	6
desserrer, T	6
dessertir, T	19
desservir, T	35
dessiller, T	6
dessiner, T, P	6
dessoler, T	6
dessouder, T	6
dessouler, I, T	6
dessoûler, I, T	6
dessuinter, T	6
destaliniser, T	6
destiner, T, P	6
destituer, T	6
destructurer, T	6
désulfiter, T	6
désunir, T, P	19
désynchroniser, T	6
détacher, T, P	6
détailler, T	6
détaler, I	6

	n°
détaller, T	6
détaper, T	6
détapisser, T	6
détartrer, T	6
détaxer, T	6
détecter, T	6
déteindre, I, T	57
dételer, T	11
détendre, T, P	53
détenir, T	23
déterger, T	8
détériorer, T, P	6
déterminer, T, P	6
déterrer, T	6
détester, T	6
détirer, T, P	6
détisser, T	6
détitrer, T	6
détoner, I	6
détonneler, T	11
détonner, I	6
détordre, T	53
détortiller, T	6
détourer, T	6
détourner, T, P	6
détracter, T	6
détrancher, I	6
détransposer, T	6
détraquer, T, P	6
détremper, T	6
détréper, I	10
détresser, T	6
détricoter, T	6
détromper, T, P	6
détroncher, I	6
détrôner, T	6
détroquer, T	6
détrousser, T	6
détruire, T, P	82
dévaler, I, T	6
dévaliser, T	6
dévaloriser, T, P	6

	n°
dévaluer, I, T, P	6
devancer, T	7
dévaser, T	6
dévaster, T	6
développer, T, P	6
devenir, I, ♦	23
déventer, T	6
déverdir, I	19
dévergonder, P	6
déverguer, T	6
dévernir, T	19
déverrouiller, T	6
déverser, T, P	6
dévêtir, T, P	26
dévider, T, P	6
dévier, I, T	15
deviner, T, P	6
dévirer, T	6
déviriliser, T	6
déviroler, T	6
dévisager, T	8
deviser, I, de	6
dévisser, I, T, P	6
dévitaliser, T	6
dévitrifier, T	15
dévoiler, T, P	6
devoir, T, P	42
dévolter, T	6
dévorer, T, P	6
dévouer, T, P	6
dévoyer, T, P	17
dévriller, T	6
diagnostiquer, T	6
dialectaliser, T	6
dialectiser, T	6
dialoguer, I	6
dialyser, T	6
diamanter, T	6
diaphragmer, T	6
diaprer, T	6
dicter, T	6
diéser, T	10

	n
diffamer, T	6
différencier, T, P	15
différer, I, T	10
diffuser, T, P	6
difformer, T	6
diffuer, I	6
diffracter, T	6
digérer, T, P	10
dilacérer, T	10
dilapider, T	6
dilater, T, P	6
diluer, T, P	6
diminuer, I, ♦, T, P	6
dindonner, T	6
dîner, I	6
dinguer, T	6
diphtonguer, T	6
dire, T, P	78
diriger, T, P	8
discerner, I	6
discipliner, T	6
discontinuer, I	6
disconvenir, I, ♦, de	23
discorder, I	6
discourir, I, de	33
discréditer, T	6
discriminer, T	6
disculper, T, P	6
discutailler, I, T	6
discuter, I, T, P	6
disgracier, T	15
disjoindre, T, P	58
disjoncter, I	6
disloquer, T, P	6
disparaître, I, ♦	64
dispenser, T, P	6
disperser, T, P	6
disposer, T, P	6
disproportionner, T	6
disputailler, I	6
disputer, T, P	6
disqualifier, T, P	15

	n°
disséminer, T, P	6
disséquer, T	10
disserter, I	6
dissimuler, T, P	6
dissiper, T, P	6
dissocier, T	15
dissoner, I	6
dissoudre, T, P	72
dissuader, T	6
distancer, T	7
distancier, T	15
distendre, T, P	53
distiller, I, T	6
distinguer, T, P	6
distordre, T	53
distraire, I, T, P	61
distribuer, T	6
divaguer, I	6
diverger, I	8
diversifier, T	15
divertir, T, P	19
diviniser, T	6
diviser, T, P	6
divorcer, I, ♦	7
divulguer, T, P	6
documenter, T, P	6
dodeliner, I, T	6
dogmatiser, I	6
doigter, T	6
doler, T	6
domestiquer, T	6
domicilier, T	15
dominer, T, P	6
dompter, T	6
donner, I, T, P	6
doper, T, P	6
dorer, T, P	8
dorloter, T, P	6
dormir, I, T	32
doser, T	6
doter, T, P	6
doubler, I, T, P	6

	n°
doucher, T, P	6
doucir, T	19
douer, T	D 6
≃ p.p. (formes composées)	
douter, T, P	6
dragéifier, T	15
drageonner, I	6
draguer, I, T	6
drainer, T	6
dramatiser, I, T	6
drapeler, T	12
draper, T, P	6
drayer, T	16
dresser, T, P	6
dribbler, I, T	6
driller, T	6
driver, T	6
droguer, T, P	6
drosser, T	6
dulcifier, T	15
duper, T, P	6
duplexer, T	6
dupliquer, T	6
durcir, I, T, P	19
durer, I	6
duveter, P	11
dynamiser, T	6
dynamiter, T	6

e

	n°
ébahir, T, P	19
ébarber, T	6
ébattre, P	55
ébaubir, P	19
ébaucher, T, P	6
ébaudir, P	19
ébavurer, T	6
éberluer, T	6
éblouir, T	19
éborgner, T	6
ébosser, T	6
ébouer, T	6
ébouillanter, T, P	6
ébouler, T, P	6
ébourgeonner, T	6
ébouriffer, T	6
ébourrer, T	6
ébouser, T	6
ébousiner, T	6
ébouter, T	6
ébraiser, T	6
ébrancher, T	6
ébranler, T, P	6
ébraser, T	6
ébrécher, T, P	10
ébroudir, T	19
ébrouer, P	6
ébruiter, T, P	6
ébruter, T	6
écabocher, T	6
écacher, T	6
écaffer, T	6
écailler, T, P	6
écaler, T, P	6
écanguer, T	6
écarner, T	6

	n°		n°		n°
écarquiller, T	6	écorcher, T	6	effeuiller, T	6
écarteler, T	12	écorer, T	6	effigier, T	15
écarter, I, T, P	6	écorner, T	6	effiler, T, P	6
écatir, T	19	écornifler, T	6	effilocher, T, P	6
échafauder, I, T	6	écosser, T	6	efflanquer, T, P	6
échalasser, T	6	écôter, T	6	effleurer, T	6
échampir, T	19	**écouler,** T, P	6	effleurir, I	19
échancrer, T	6	écourter, T	6	effluver, I	6
échanfreiner, T	6	**écouter,** I, T, P	6	effondrer, T, P	6
échanger, T	8	écouvillonner, T	6	**efforcer,** P	7
échantillonner, T	6	écrabouiller, T	6	effranger, T, P	8
échapper, I, ♦, à, P	6	**écraser,** I, T, P	6	**effrayer,** T, P, de	16
échardonner, T	6	écrémer, T	10	effriter, T, P	6
écharner, T	6	écrêter, T	6	égailler, P	6
écharper, T	6	**écrier,** P	15	égaler, T	6
échauder, T	6	**écrire,** I, T, P	80	égaliser, I, T	6
échauffer, T, P	6	écrivailler, I, T	6	**égarer,** T, P	6
échauler, T	6	écrivasser, I	6	égayer, T, P	16
échaumer, T	6	écrouer, T	6	égermer, T	6
échelonner, T, P	6	écrouir, T	19	égorger, T, P	8
écheniller, T	6	écrouler, P	6	égosiller, P	6
écheveler, T	11	écroûter, T	6	égoutter, I, T, P	6
échiner, T, P	6	écuisser, T	6	égrainer, T, P	6
échoir, I, ♦, à	52	éculer, T	6	égrapper, T	6
échopper, T	6	écumer, I, T	6	égratigner, T, P	6
échouer, I, ♦, T, P	6	écurer, T	6	égrener, T, P	9
écimer, T	6	écussonner, T	6	égriser, T	6
éclabousser, T	6	eczématiser, P	6	égruger, T	8
éclaircir, T, P	19	édenter, T	6	égueuler, T	6
éclairer, T, P	6	édicter, T	6	éjaculer, T	6
éclater, I, ♦, T, P	6	édifier, T	15	éjarrer, T	6
éclipser, T, P	6	éditer, T	6	éjecter, T	6
éclisser, T	6	éditionner, T	6	éjointer, T	6
écloper, T	6	édulcorer, T	6	élaborer, T, P	6
éclore, I, ♦	70	éduquer, T	6	élaguer, T	6
écluser, I, T	6	éfaufiler, T	6	**élancer,** I, T, P	7
écobuer, T	6	**effacer,** T, P	7	**élargir,** I, T, P	19
écœurer, T	6	effaner, T	6	élaver, T	6
éconduire, T	82	effarer, T	6	électrifier, T	15
économiser, T	6	effaroucher, T, P	6	électriser, T	6
écoper, I, de, T	6	**effectuer,** T, P	6	électrocuter, T	6
écorcer, T	7	efféminer, T	6	électrolyser, T	6

	n°
ectroniser, T	6
égir, T	19
lever, T, P	9
lider, T	6
limer, T, P	6
liminer, I, T	6
linguer, T	6
lire, T	77
loigner, T, P	6
longer, T	8
lucider, T	6
lucubrer, T	6
luder, T	6
émacier, P	15
émailler, T, de	6
émanciper, T, P	6
émaner, I	6
émarger, I, T	8
émasculer, T	6
embabouiner, T	6
emballer, T, P	6
emballotter, T	6
embarbouiller, T, P	6
embarder, T, P	6
embarquer, I, T, P	6
embarrasser, T, P, de	6
embarrer, I, P	6
embastiller, T	6
embastionner, T	6
embâter, T	6
embat(t)re, T	55
emballer, T, P	6
embaucher, T, P	6
embaumer, I, T	6
embecquer, T	6
embéguiner, P	6
embellir, I, ♦, T, P	19
emberlificoter, T, P	6
embêter, T, P	6
embidonner, T	6
embieller, T	6
emblaver, T	6

	n°
embobeliner, T	6
embobiner, T	6
emboire, P	69
emboîter, T, P	6
emboquer, T	6
embosser, T, P	6
embotteler, T	11
emboucher, T	6
embouer, I, T	6
embouquer, I, T	6
embourber, T, P	6
embourgeoiser, T, P	6
embourrer, T, P	6
embouteiller, T	6
emboutir, T	19
embrancher, T, P	6
embraquer, T	6
embraser, T, P	6
ombraser, T, P	6
embrayer, T	16
embreler, T	12
embrever, T	9
embrigader, T, P	6
embringuer, T	6
embrocher, T	6
embroncher, T	6
embrouiller, T, P	6
embroussailler, T	6
embrumer, T	6
embrunir, T	19
embuer, T	6
embusquer, T, P	6
émécher, T	10
émerger, I	8
émerillonner, T	6
émeriser, T	6
émerveiller, T, P	6
émettre, I, T	56
émier, T	15
émietter, T, P	6
émigrer, I	6
émincer, T	7

	n°
emmagasiner, T	6
emmailloter, T	6
emmancher, T, P	6
emmarger, T	8
emmêler, T	6
emménager, I, T	8
emmener, T	9
emmerder, T, P	6
emmétrer, T	10
emmeuler, T	6
emmieller, T	6
emmitonner, T	6
emmitoufler, T	6
emmortaiser, T	6
emmoufler, T	6
emmouscailler, T	6
emmurer, T	6
émonder, T	6
émorfiler, T	6
émotionner, T	6
émotter, T	6
émoucher, T	6
émoucheter, T	12
émoudre, T	74
émousser, T, P	6
émoustiller, T	6
émouvoir, T, P	44
empailler, T	6
empaler, T, P	6
empalmer, T	6
empanacher, T	6
empanner, I, T	6
empapilloter, T	6
empaqueter, T	11
emparer, P, de	6
emparquer, T	6
empâter, T, P	6
empatter, T	6
empaumer, T	6
empêcher, T, P, de	6
empeigner, T	6
empêner, I, T	6

	n°		n°		
empenner, T	6	encarter, T	6	**encourager,** T	
empercher, T	6	encartonner, T	6	encourir, T	3
emperler, T	6	encartoucher, T	6	encrasser, T, P	
empeser, T	9	encaserner, T	6	encrêper, T	
empester, T	6	encasteler, P	12	encrer, I, T	
empêtrer, T, P	6	encaster, T	6	encroiser, T	
empiéger, T	8	encastrer, T, P	6	encroûter, T, P	
empierrer, T	6	encaustiquer, T	6	encuver, T	
empiéter, I, sur	10	encaver, T	6	endauber, T	
empiffrer, P	6	enceindre, T	57	endenter, T	
empiler, T, P	6	encelluler, T	6	endetter, T, P	
empirer, I, ♦, T	6	encenser, I, T	6	endeuiller, T	
emplâtrer, T	6	encercler, T	6	endêver, I ≃ inf.	[
emplir, I, T, P	19	enchaîner, I, T, P	6	endiabler, I, T	6
employer, T, P, à	17	enchanter, T, P	6	endiguer, T	6
emplumer, T	6	enchaperonner, T	6	endimancher, T	6
empocher, T	6	encharner, T	6	endivisionner, T	6
empoigner, T, P	6	enchâsser, T	6	endoctriner, T	6
empoisonner, T, P	6	enchatonner, T	6	endolorir, T	19
empoisser, T	6	enchaussener, T	6	endommager, T	8
empoissonner, T	6	enchausser, T	6	**endormir,** T, P	32
emporter, T, P	6	enchaussumer, T	6	endosser, T	6
empoter, T	6	enchemiser, T	6	enduire, T	82
empourprer, T, P	6	enchérir, I, sur, T	19	endurcir, T, P	19
empoussiérer, T, P	10	enchevaler, T	6	endurer, T	6
empreindre, T, P, de	57	enchevaucher, T	6	**énerver,** T, P	6
empresser, P	6	enchevêtrer, T, P	6	enfaîter, T	6
emprésurer, T	6	enchifrener, T	9	enfanter, I, T	6
emprisonner, T	6	encirer, T	6	enfariner, T	6
emprunter, T	6	enclaver, T	6	**enfermer,** T, P	6
empuantir, T	19	enclencher, T, P	6	enferrer, T, P	6
émulsifier, T	15	encliqueter, T	11	enfieller, T	6
émulsionner, T	6	encloîtrer, T	6	enfiévrer, T, P	10
enamourer, P	6	enclore, T	70	enfiler, T, P	6
énamourer, P	6	enclouer, T	6	enflammer, T, P	6
enarbrer, T	6	encocher, T	6	enflécher, T	10
encabaner, T	6	encoder, T	6	enfler, I, T, P	6
encadrer, T	6	encoffrer, T	6	enfleurer, T	6
encager, T	8	encoller, T	6	**enfoncer,** I, T, P	7
encaisser, T	6	encombrer, T, P, de	6	enforcir, I	19
encanailler, T, P	6	encorder, T, P	6	enfouir, T, P	19
encapuchonner, T, P	6	encorner, T	6	enfourcher, T	6

	n°
enfourner, T	6
enfreindre, T	57
enfuir, P	36
enfumer, T, P	6
enfutailler, T	6
engager, T, P	8
engainer, T	6
engaller, T	6
engamer, T	6
engargousser, T	6
engaver, T	6
engazonner, T	6
engendrer, T	6
engerber, T	6
englacer, T	7
englober, T	6
engloutir, T, P	19
engluer, T	6
engober, T	6
engommer, T	6
engoncer, T	7
engorger, T, P	8
engouer, P	6
engouffrer, T, P	6
engouler, T	6
engourdir, T, P	19
engraisser, I, T, P	6
engranger, T	8
engraver, T	6
engrener, T	9
engrosser, T	6
engrumeler, T, P	11
engueuler, T, P	6
enguirlander, T	6
enhardir, T, P	19
enharnacher, T	6
enherber, T	6
énieller, T	6
enivrer, T, P	6
enjamber, I, T	6
enjaveler, T	11
enjoindre, T	58

	n°
enjôler, T	6
enjoliver, T, P	6
enjoncer, T	7
enjouer, T	6
enjuguer, T	6
enjuiver, T	6
enjuponner, T	6
enkikiner, T	6
enkyster, P	6
enlacer, T, P	7
enlaidir, I, ♦, T, P	19
enlever, T, P	9
enliasser, T	6
enlier, T	15
enligner, T	6
enliser, T, P	6
enluminer, T	6
enneiger, T	8
ennoblir, T	19
ennoyer, T	17
ennuager, T, P	8
ennuyer, T, P	17
énoncer, T, P	7
énoper, T	6
enorgueillir, T, P	19
énouer, T	6
enquérir, P	24
enquêter, I	6
enquiquiner, T, P	6
enraciner, T, P	6
enrager, I	8
enrailler, T	6
enrayer, T, P	16
enrégimenter, T	6
enregistrer, T	6
enrêner, T	6
enrhumer, T, P	6
enrichir, I, P	19
enrober, T	6
enrocher, T	6
enrôler, T, P	6
enrouer, T, P	6

	n°
enrouiller, I, P	6
enrouler, T, P	6
enrubanner, T	6
ensabler, T, P	6
ensaboter, T	6
ensacher, T	6
ensaisiner, T	6
ensanglanter, T	6
ensauver, P	6
enseigner, T	6
ensemencer, T	7
enserrer, T	6
ensevelir, T, P	19
ensiler, T	6
ensimer, T	6
ensoleiller, T	6
ensorceler, T	11
ensoufrer, T	6
ensoutaner, T	6
enstérer, T	10
ensuivre, P	D 75

$\simeq$ inf. + p.p.
+ 3^e pers. à tous les
   temps
cela s'est ensuivi
cela s'en est ensuivi
cela s'en est suivi

	n°
entabler, T, P	6
entacher, T	6
entailler, T, P	6
entamer, T	6
entaquer, T	6
entartrer, T	6
entasser, T, P	6
entendre, I, T, P	53
enténébrer, T	10
enter, T	6
entériner, T	6
enterrer, T, P	6
entêter, T, P	6
enthousiasmer, T, P	6
enticher, P, de	6
entoiler, T	6

	n°
entôler, T	6
entonner, T	6
entortiller, T, P	6
entourer, T, P	6
entraccorder, P	6
entraccuser, P	6
entradmirer, P	6
entraider, P	6
entr'aimer, P	6
entraîner, T, P	6
entr'apercevoir, P	38
entraver, T	6
entrebâiller, T	6
entrebattre, P	55
entrechoquer, P	6
entrecouper, T, P	6
entrecroiser, T, P	6
entre-déchirer, P	6
entre-détruire, P	82
entre-dévorer, P	6
entr'égorger, P	8
entre-frapper, P	6
entre-haïr, P	20
entre-heurter, P	6
entrelacer, T, P	7
entrelarder, T	6
entre-louer, P	6
entre-manger, P	8
entremêler, T, P	6
entremettre, P	56
entre-nuire, P	82
entreposer, T	6
entreprendre, T	54
entrer, I, ♦, T	6
entre-regarder, P	6
entretailler, P	6
entretenir, T, P	23
entretoiser, T	6
entre-tuer, P	6
entrevoir, T, P	39
entrevoûter, T	6
entrobliger, P	8

	n°
entrouvrir, T, P	27
énucléer, T	13
énumérer, T	10
envahir, T	19
envaler, T	6
envaser, T, P	6
envelopper, T, P	6
envenimer, T, P	6
enverger, T	8
enverguer, T	6
enverrer, T	6
envider, T	6
envier, T	15
envieillir, T, P	19
environner, T, P	6
envisager, T	8
envoiler, P	6
envoler, P	6
envoûter, T	6
envoyer, T, P	18
épailler, T	6
épaissir, i, T, P	19
épaler, T	6
épamprer, T	6
épancher, T, P	6
épandre, T, P	53
épanneler, T	11
épanner, T	6
épanouir, T, P	19
épargner, T, P	6
éparpiller, T, P	6
épater, T	6
épaufrer, T	6
épauler, I, T, P	6
épeler, T, P	11
épépiner, T	6
éperdre, P	53
éperonner, T	6
épeuler, T	6
épeurer, T	6
épicer, T	7
épier, I, T	15

	n°
épierrer, T	6
épiler, T	6
épiloguer, I, T, sur	6
épinceler, T	12
épincer, T	7
épinceter, T	11
épiner, T	6
épingler, T	6
épisser, T	6
éployer, T, P	17
éplucher, T	6
épointer, T	6
éponger, T, P	8
épontiller, T	6
épouiller, T	6
époumoner, T, P	6
épouser, T	6
épousseter, T	11
époustoufler, T	6
époutier, T	15
époutir, T	19
épouvanter, T, P	6
épreindre, T	57
éprendre, P	54
éprouver, T, P	6
épucer, T	7
épuiser, T, P	6
épurer, T	6
équarrir, T	19
équerrer, T	6
équilibrer, T, P	6
équiper, T, P	6
équivaloir, à	47
équivoquer, I	6
érafler, T	6
érailler, T, P	6
érayer, T	16
éreinter, T, P	6
ergoter, I	6
ériger, T, P, en	8
éroder, T, P	6
érotiser, T	6

	n°		n°		n°
errer, I	6	estomaquer, T	6	étreindre, T, P	57
eructer, I, T	6	estomper, T, P	6	étrenner, T	6
esbaudir, P	19	estoquer, T	6	étrésillonner, T	6
esbigner, P	6	estourbir, T	19	étriller, T	6
esbroufer, T	6	estrapader, T	6	étriper, T, P	6
escalader, T	6	estrapasser, T	6	étriquer, T	6
escamoter, T	6	estropier, T	15	étronçonner, T	6
escarmoucher, I	6	établer, T	6	**étudier,** I, T, P	15
escarrifier, T	15	**établir,** T, P	19	étuver, T	6
escher, T	6	étager, T, P	8	euphoriser, T	6
esclaffer, P	6	étalager, T	8	européaniser, T	6
escof(f)ier, T	15	**étaler,** T, P	6	européiser, T	6
escompter, T	6	étalinguer, T	6	évacuer, T	6
escorter, T	6	étalonner, T	6	évader, P	6
escrimer, P	6	étamer, T	6	évaluer, T	6
escroquer, T	6	étamper, T	6	évangéliser, T	6
espacer, T, P	7	étancher, T	6	**évanouir,** P	19
espagnoliser, T	6	étançonner, T	6	évaporer, T, P	6
espérer, I, T	10	étarquer, T	6	évaser, T, P	6
espionner, T	6	étatiser, T	6	**éveiller,** T, P	6
espoliner, T	6	étayer, T, P	16	éventer, T, P	6
espouliner, T	6	**éteindre,** T, P	57	éventiller, I	6
esquicher, T	6	**étendre,** T, P	53	éventrer, T	6
esquinter, T, P	6	éterniser, T, P	6	évertuer, P	6
esquisser, T, P	6	éternuer, I	6	évider, T	6
esquiver, T, P	6	étêter, T	6	évincer, T	7
essaimer, I	6	éthérifier, T	15	**éviter,** I, T	6
essanger, T	8	éthériser, T	6	évoluer, I	6
essarter, T	6	étinceler, I	11	évoquer, T	6
essayer, T, P	16	étioler, T, P	6	exacerber, T, P	6
essorer, T, P	6	étiqueter, T	11	**exagérer,** I, T, P	10
essoriller, T	6	étirer, T, P	6	exalter, T, P	6
essoucher, T	6	étoffer, T, P	6	**examiner,** I, T, P	6
essouffler, T, P	6	étoiler, T, P	6	exaspérer, T, P	10
essuyer, T, P	17	**étonner,** T, P	6	exaucer, T	7
estamper, T	6	**étouffer,** I, T, P	6	excaver, T	6
estampiller, T	6	étouper, T	6	excéder, T	10
ester, I	D	étoupiller, T	6	exceller, I	6
≃ infinitif		étourdir, T, P	19	excentrer, T	6
estérifier, T	15	étrangler, T, P	6	excepter, T	6
estimer, T, P	6	**être**	2	exciper, T	6
estiver, T	6	étrécir, T	19	exciser, T	6

	n°
exciter, T, P	6
exclamer, P	6
exclure, T, P	71
excommunier, T	15
excorier, T	15
excréter, T	10
excursionner, I	6
excuser, T, P	6
exécrer, T	10
exécuter, T, P	6
exemplifier, T	15
exempter, T	6
exercer, I, T, P	7
exfolier, T, P	15
exhaler, T, P	6
exhausser, T	6
exhéréder, T	10
exhiber, T, P	6
exhorter, T	6
exhumer, T	6
exiger, T	8
exiler, T, P	6
exister, I	6
exonder, P	6
exonérer, T	10
exorciser, T	6
expatrier, T, P	15
expectorer, I, T	6
expédier, T	15
expérimenter, T	6
expertiser, T	6
expier, T	15
expirer, I, ♦, T	6
expliciter, T	6
expliquer, T, P	6
exploiter, I, T	6
explorer, T	6
exploser, I	6
exporter, I, T	6
exposer, T, P	6
exprimer, T, P	6
exproprier, T	15

	n°
expulser, T	6
expurger, T	8
exsuder, I, T	6
extasier, P	15
exténuer, T, P	6
extérioriser, T, P	6
exterminer, T	6
extirper, T, P	6
extorquer, T	6
extrader, T	6
extraire, T, P	61
extrapoler, I, T	6
extravaguer, I	6
extravaser, T, P	6
extruder, T	6
exulcérer, T	10
exulter, I	6

f

fabriquer, I, T	6
fabuler, I	6
facetter, T	6
fâcher, T, P	6
faciliter, T	6
façonner, T	6
factoriser, T	6
facturer, T	6
fader, T	6
fagoter, T, P	6
faiblir, I	19
faignanter, I	6
failler, P	6
faillir, I, ♦,à	30
fainéanter, I	6
faire, T, P, il	62
faisander, T, P	6
falloir, I, il, P, en	46

	n°
falsifier, T	15
faluner, T	6
familiariser, T, P	6
fanatiser, T, P	6
faner, T, P	6
fanfaronner, I	6
fanfrelucher, T	6
fantasmer, I	6
farandoler, I	6
farcir, T, P	19
farder, I, T, P	6
farfouiller, I, T	6
fariner, I, T	6
farter, T	6
fasciner, T	6
fasciser, T	6
faseiller, I	6
aussi faseyer	6
et faséyer	10
fatiguer, I, T, P	6
faucarder, T	6
faucher, I, T	6
fauconner, I	6
fauder, T	6
faufiler, I, T, P	6
fausser, T	6
fauter, I	6
favoriser, T	6
fayot(t)er, I	6
féconder, T	6
féculer, T	6
fédéraliser, T, P	6
fédérer, T, P	10
feignanter, I	6
feindre, I, T	57
feinter, I, T	6
fêler, T, P	6
féliciter, T, P	6
féminiser, T, P	6
fendiller, T, P	6
fendre, T, P	53
fenestrer, T	6

	n°		n°		n°
fenêtrer, T	6	finasser, I, T	6	flotter, il	6
férir, T	D	**finir,** I, T	19	flouer, T	6
sans coup férir		finlandiser, T, P	6	flouser, I	6
féru de...		fiscaliser, T	6	fluber, I	6
ferler, T	6	fissionner, T	6	fluctuer, I	6
fermenter, I	6	fissurer, T, P	6	fluer, I	6
fermer, I, T, P	6	**fixer,** T, P	6	fluidifier, T	15
ferrailler, I	6	flacher, T	6	fluidiser, T	6
ferrer, T	6	flageller, T, P	6	fluoriser, T	6
fertiliser, T	6	flageoler, I	6	flûter, I	6
fesser, T	6	flagorner, T	6	fluxer, T	6
festiner, I, T	6	flairer, T	6	focaliser, T	6
festonner, T	6	**flamber,** I, T	6	foirer, I	6
festoyer, I, T, P	17	flamboyer, I	17	foisonner, I	6
fêter, T	6	flancher, I, T	6	folâtrer, I	6
fétichiser, T	6	flâner, I	6	folichonner, I	6
feuiller, I, T	6	flanquer, T, P	6	folioter, T	6
feuilleter, T	11	flaquer, I	6	fomenter, T	6
feuilletiser, T	6	flasher, I	6	**foncer,** I, T	7
feuler, I	6	**flatter,** T, P	6	fonctionnariser, T	6
feutrer, I, T, P	6	flauper, T	6	fonctionner, I	6
fiancer, T, P	7	flécher, T	10	**fonder,** I, T, P	6
ficeler, T	11	fléchir, I, T, P	19	**fondre,** I, T, P	53
ficher, T, P	6	flemmarder, I	6	**forcer,** I, T, P	7
		flétrir, T, P	19	forcir, I	19
2 p.p. !		fleurer, I, T	6	forclore,	D
les adresses fichées		**fleurir,** I, T, P	19	≃ infinitif	
les occasions fichues		pour « orner de fleurs »		et p.p. forclos (e)	
		toujours : fleurissant		forer, T	6
fieffer, T	6	fleurissait		forfaire,	D
fienter, I	6	pour « prospérer »		≃ infinitif	
fier, P	15	de préférence :		et temps composés	
figer, I, T, P	8	florissant		**forger,** I, T, P	8
fignoler, T	6	florissait		forjeter, I, T, P	11
figurer, I, T, P	6	flibuster, I, T	6	forlancer, T	7
filer, I, T, P	6	flinguer, T	6	forligner, I	6
fileter, T	12	flipper, I	6	forlonger, I, T	8
filigraner, T	6	flirter, I	6	formaliser, T, P	6
filmer, T	6	floconner, I	6	**former,** T, P	6
filocher, I, T	6	floculer, I	6	formoler, T	6
filouter, I, T	6	floquer, T	6	formuler, T	6
filtrer, I, T	6	**flotter,** I, T	6	forniquer, I	6
financer, I, T	7				

	n°
forpaiser, I	6
fortifier, T, P	15
fosserer, T	9
fossiliser, T, P	6
fossoyer, T	17
fouailler, T	6
foudroyer, T	17
fouetter, I, T	6
fouger, I	8
fouiller, I, T, P	6
fouiner, I	6
fouir, T	19
fouler, T, P	6
fourailler, I, T	6
fourber, I, T	6
fourbir, T	19
fourcher, I, T	6
fourgonner, I, T	6
fourguer, T	6
fourmiller, I	6
fournir, T, P	19
fourrager, I, T	8
fourrer, T, P	6
fourvoyer, T, P	17
foutre, T, P, de	D 53
fracasser, T, P	6
fractionner, T, P	6
fracturer, T	6
fragiliser, T	6
fragmenter, T	6
fraîchir, I	19
fraiser, T	6
framboiser, T	6
franchir, T	19
franciser, T	6
franger, T	8
frapper, I, T, P	6
fraterniser, I	6
frauder, I, T	6
frayer, I, T, P	16
fredonner, I, T	6
freiner, I, T	6

	n°
frelater, T	6
frémir, I	19
fréquenter, I, T	6
fréter, T	10
frétiller, I	6
fretter, T	6
fricasser, T	6
fricoter, I, T	6
frictionner, T, P	6
frigorifier, T	15
frigorifuger, T	8
frimer, I, T	6
fringuer, T, P	6
friper, T, P	6
friponner, I, T	6
frire, I, T	81
friser, I, T	6
frisotter, T	6
frissonner, I	6
fristiquer, I	6
fritter, I, T	6
froidir, I	19
froisser, T, P	6
frôler, T, P	6
froncer, T	7
fronder, I, T	6
frotter, I, T, P	6
frouer, I	6
froufrouter, I	6
fructifier, I	15
frusquer, T, P	6
frustrer, T	6
fuguer, I	6
fuir, I, T	36
fulgurer, I, T	6
fulminer, I, T	6
fumer, I, T	6
fumiger, T	8
fureter, I	12
fuseler, T	11
fuser, I	6
fusiller, T	6

	n°
fusionner, I, T	6
fustiger, T	8

g

gabionner, T	6
gabouiller, I	6
gâcher, I, T	6
gadgétiser, T	6
gaffer, I, T	6
gager, T	8
gagner, I, T, P	6
gainer, T	6
galantiser, I, T	6
galber, T	6
galéjer, I	10
galipoter, T	6
galonner, T	6
galoper, I, T	6
galvaniser, T	6
galvauder, I, T, P	6
gambader, I	6
gambergeailler, I, T	6
gamberger, I, T	8
gambiller, I	6
gaminer, I	6
gangrener, T, P	9
ganser, T	6
ganter, T	6
garancer, T	7
garantir, T	19
garder, T, P	6
garer, T, P	6
gargariser, P	6
gargoter, I	6

	n°
gargouiller, I	6
garnir, T, P	19
garrotter, T	6
gasconner, I	6
gaspiller, I	6
gâter, T, P	6
gauchir, I, T, P	19
gaufrer, T	6
gauler, T	6
gausser, I, T, P	6
gaver, T, P	6
gazéifier, T	15
gazer, I, T	6
gazonner, I, T	6
gazouiller, I	6
geindre, I	57
gélatiner, T	6
gélatiniser, T	6
geler, I, il, T, P	12
gélifier, T, P	15
géminer, T	6
gémir, I, T	19
gemmer, T	6
gendarmer, P	6
gêner, T, P	6
généraliser, T, P	6
générer, T	10
géométriser, T	6
gerber, I, T	6
gercer, I, T, P	7
gérer, T	10
germaniser, I, T, P	6
germer, I	6
gésir, I	37
gesticuler, I	6
giboyer, T	17
gicler, I	6
gifler, T	6
gigoter, I	6
gironner, T	6
girouetter, I	6
gîter, I	6

	n°
givrer, T	6
glacer, I, il, T, P	7
glairer, T	6
glaiser, T	6
glander, I	6
glandouiller, I	6
glaner, T	6
glapir, I, T	19
glatir, I	19
glaviot(t)er, I	6
gléner, T	10
glisser, I, T, P	6
globaliser, T	6
glorifier, T, P	15
gloser, I, T	6
glouglouter, I	6
glousser, I	6
glycériner, T	6
gober, T	6
goberger, P	8
gobeter, T	11
gobichonner, T	6
godailler, I	6
goder, I	6
godiller, I	6
godronner, T	6
goguenarder, I	6
goinfrer, I, P	6
gominer, P	6
gommer, T	6
gonder, T	6
gondoler, I, P	6
gonfler, I, T, P	6
gorger, T, P	8
gouacher, T	6
gouailler, I	6
goudronner, T	6
goujonner, I	6
goupiller, T, P	6
goupillonner, T	6
gourbiller, T	6
gourer, P	6

	n°
gourmander, T	6
goûter, I, à de, T	6
goutter, I	6
gouverner, I, T, P	6
gracier, T	15
graduer, T	6
grailler, I, T	6
graillonner, I	6
grainer, T	6
graisser, T	6
grammaticaliser, T	6
grandir, I, ♦, T, P	19
graniter, T	6
granuler, T	6
graphiter, T	6
grappiller, I, T	6
grasseyer, I	6
l'y est conservé partout	
graticuler, T	6
gratifier, T	15
gratiner, I, T	6
gratter, I, T, P	6
graver, I, P	6
gravir, T	19
graviter, I	6
gréciser, T	6
grecquer, T	6
gréer, T	13
greffer, T, P	6
grêler, il	6
grelotter, I	6
grenailler, T	6
greneler, T	11
grener, I, T	9
grenouiller, I	6
gréser, T	10
grésiller, il, I, T	6
grever, T	9
gribouiller, I, T	6
griffer, T	6
griffonner, I, T	6
grigner, I	6

	n°
grignoter, I, T	6
grillager, T	8
griller, I, T, P	6
grimacer, I, T	7
grimer, T, P	6
grimper, I, T	6
grincer, I	7
grincher, T	6
gringuer, I	6
gripper, I, T, P	6
grisailler, I, T	6
griser, T, P	6
grisol(l)er, I	6
grisonner, I	6
griveler, I, T	11
grognasser, I	6
grogner, I	6
grognonner, I	6
grommeler, I, T	11
gronder, I, T	6
grossir, I, ♦ T	19
grossoyer, T	17
grouiller, I, P	6
grouper, I, T, P	6
gruger, T	8
grumeler, P	11
guéer, T	13
guérir, I, T, P	19
guerroyer, I	17
guêtrer, T	6
guetter, T	6
gueuler, I, T	6
gueuletonner, I	6
gueuser, I, T	6
guider, T, P	6
guigner, T	6
guillemeter, T	11
guillocher, T	6
guillotiner, T	6
guincher, I	6
guinder, T	6
guiper, T	6

h

*h = h aspiré

	n°
habiliter, T	6
habiller T, P	6
habiter, I, T	6
habituer, T, P	6
*habler, I	6
*hacher, T	6
*hachurer, T	6
*haïr, T	20
*haler, T	6
*hâler, T	6
*haleter, I	12
halluciner, T	6
hameçonner, T	6
*hancher, I, T, P	6
*handicaper, T	6
hannetonner, I, T	6
*hanter, T	6
*happer, T	6
*haranguer, T	6
*harasser, T	6
*harceler, T	11, 12
*harder, T	6
harmoniser, T, P	6
*harnacher, T	6
*harpailler, I	6
*harper, T	6
*harponner, T	6
*hasarder, T, P	6
hâter, T, P	6
*haubaner, T	6
hausser, T, P	6
*haver, I, T	6
*havir, I, T	19

	n°
héberger, T	8
hébéter, T	10
hébraïser, I	6
*héler, T	10
helléniser, T, P	6
hennir, I	19
herbager, T	8
herber, T	6
herboriser, I	6
*hérisser, T, P	6
*hérissonner, I, T, P	6
hériter, I, T, de	6
héroïser, T	6
*her(s)cher, I	6
*herser, T	6
hésiter, I	6
*heurter, de contre, T, P, à	6
hiberner, I, T	6
hiérarchiser, T	6
*hisser, T, P	6
historier, T	15
hiverner, I, T	6
*hocher, T	6
homogénéifier, T	15
homogénéiser, T	6
homologuer, T	6
*hongrer, T	6
*hongroyer, T	17
*honnir, T	19
honorer, T, P	6
*hoqueter, I	11
horrifier, T	15
horripiler, T	6
hospitaliser, T	6
*houblonner, T	6
*houer, T	6
*houpper, T	6
*hourder, T	6
*hourdir, T	19
*houspiller, T	6
housser, T	6

	n°
houssiner, T	6
*hucher, T	6
*huer, I, T	6
huiler, T	6
*hululer, I	6
humaniser, T, P	6
humecter, T, P	6
*humer, T	6
humidifier, T	15
humilier, T, P	15
***hurler,** I, T	6
hybrider, T, P	6
hydrater, T, P	6
hydrofuger, T	8
hydrogéner, T	10
hydrolyser, T	6
hypertrophier, P	15
hypnotiser, T, P	6
hypostasier, T	15
hypothéquer, T	10

i

	n°
idéaliser, T, P	6
identifier, T, P	15
idéologiser, T	6
idiotifier, T	15
idiotiser, T	6
idolâtrer, T	6
ignifuger, T	8
ignorer, T, P	6
illuminer, T, P	6
Illusionner, T, P	6
illustrer, T, P	6
imager, T	8
imaginer, T, P	6
imbiber, T, P	6
imbriquer, T, P	6

	n°
imiter, T	6
immatérialiser, T	6
immatriculer, T	6
immerger, T, P	8
immigrer, I	6
immiscer, P	7
immobiliser, T, P	6
immoler, T, P	6
immortaliser, T, P	6
immuniser, T	6
impacter, T	6
impartir, T	19
impatienter, T, P	6
impatroniser, T, P	6
imperméabiliser, T	6
impétrer, T	10
implanter, T, P	6
implémenter, T	6
impliquer, T	6
implorer, T	6
imploser, I	6
importer, I, T	6
importuner, T	6
imposer, T, P	6
imprégner, T, P	10
impressionner, T	6
imprimer, T, P	6
improuver, T	6
improviser, I, T, P	6
impulser, T	6
imputer, T, à	6
inaugurer, T	6
incarcérer, T	10
incarner, T, P	6
incendier, T	15
incidenter, I	6
incinérer, T	10
inciser, T	6
inciter, T, à	6
incliner, I, T, P	6
inclure, T	71
incomber, I, à	6

	n°
incommoder, T	6
incorporer, T, P	6
incrémenter, T	6
incriminer, T	6
incruster, T, P	6
incuber, T	6
inculper, T	6
inculquer, T	6
incurver, T, P	6
indemniser, T, P	6
indexer, T	6
indianiser, T, P	6
indicer, T	7
indifférer, T	10
indigner, T, P	6
indiquer, T	6
indisposer, T	6
individualiser, T, P	6
induire, T	82
indulgencier, T	15
indurer, T	6
industrialiser, T, P	6
infantiliser, T	6
infatuer, T, P	6
infecter, T, P	6
Inféoder, T, P	6
inférer, T	10
infester, T	6
infiltrer, T, P	6
infirmer, T	6
infléchir, T, P	19
infliger, T, à	8
influencer, T	7
influer, I, sur	6
informatiser, T	6
informer, T, P	6
infuser, I, T	6
ingénier, P	15
ingérer, T, P, dans	10
ingurgiter, T	6
inhaler, T	6
inhiber, T	6

	n°
inhumer, T	6
initialiser, T	6
initier, T, P, à	15
injecter, T, P	6
injurier, T	15
innerver, T	6
innocenter, T	6
innover, I, T	6
inoculer, T, P	6
inonder, T	6
inquiéter, T, P, de	10
inscrire, T, P	80
insculper, T	6
inséminer, T	6
insensibiliser, T	6
insérer, T, P	10
insinuer, T, P	6
insister, I	6
insoler, T	6
insolubiliser, T	6
insonoriser, T	6
inspecter, T	6
inspirer, I, T, P	6
installer, T, P	6
instaurer, T	6
instiller, T	6
instituer, T, P	6
institutionnaliser, T, P	6
instruire, T, P	82
instrumenter, I, T	6
insuffler, T	6
insulter, I à, T	6
insurger, P, contre	8
intailler, I	6
intégrer, I, T, P	10
intellectualiser, T	6
intensifier, T, P	15
intenter, T	6
intercaler, T, P	6
intercéder, I	10
intercepter, T	6
interclasser, T	6

	n°
interdire, T, P	78
intéresser, T, P	6
interférer, I	10
interfolier, T	15
intérioriser, T	6
interjeter, T	11
interligner, T	6
interloquer, T	6
internationaliser, T, P	6
interner, T	6
interpeller, T	6
interpénétrer, P	10
interpoler, T	6
interposer, T, P	6
interpréter, T, P	10
interroger, T, P	8
interrompre, T, P	53
intervenir, I, ♦	23
intervertir, T	19
interviewer, T	6
intimer, T	6
intimider, T	6
intituler, T, P	6
intoxiquer, T, P	6
intriguer, I, T	6
introduire, T, P	82
introniser, T	6
intuber, T	6
invaginer, T, P	6
invalider, T	6
invectiver, I contre, T	6
inventer, T, P	6
inventorier, T	15
inverser, T, P	6
invertir, T	19
investir, I, T, P	19
invétérer, P	10
inviter, T, P	6
invoquer, T	6
ioder, T	6
iodler, I, T	6
ioniser, T	6

	n°
iouler, I, T	6
iriser, T, P	6
ironiser, I, sur	6
irradier, I, T, P	15
irriguer, T	6
irriter, I, P	6
islamiser, T, P	6
isoler, T, P	6
issir, I	D
≃ p.p. : issu (e)	
italianiser, I, T, P	6
itérer, I	10

j

jabler, T	6
jaboter, I, T	6
jacasser, I	6
jachérer, T	10
jacter, I, T	6
jaillir, I	19
jalonner, I, T	6
jalouser, T	6
jambonner, I	6
japonner, T	6
japper, I	6
jardiner, I, T	6
jargonner, I	6
jarreter, I	11
jaser, I	6
jasper, T	6
jaspiner, I, T	6
jauger, I, T	8
jaunir, I, T	19
javeler, I, T	11

	n°
javelliser, T	6
jeter, T, P	11
jeûner, I	6
jobarder, T	6
jodler, I, T	6
joindre, I, T, P	58
jointoyer, T	17
joncer, T	7
joncher, T	6
jongler, T	6
jouailler, I	6
jouer, I, T, P	6
jouir, I, de	19
jouter, I	6
jouxter, T	6
jubiler, I	6
jucher, I, T, P	6
judaïser, I, T, P	6
juger, I, T, P	8
juguler, T	6
jumeler, T	6
juponner, I, T	6
jurer, I, T, P	6
justifier, de, T, P	15
juter, I, T	6
juxtaposer, T	6

k

kidnapper, T	6
kilométrer, T	10
klaxonner, I, T	6

l

	n°
labialiser, T, P	6
labourer, T	6
lacer, T	7
lacérer, T	10
lâcher, I, T	6
laïciser, T, P	6
lainer, T	6
laisser, T, P	6
laitonner, T	6
laïusser, I	6
lambiner, I	6
lambrisser, T	6
lamenter, P	6
lamer, T	6
laminer, T	6
lamper, T	6
lancequiner, I	6
lancer, T, P	7
lanciner, I, T	6
langer, T	8
langueyer, T	6
languir, I, P	19
lanterner, I, T	6
laper, I, T	6
lapider, T	6
lapidifier, T, P	15
lapiner, I	6
laquer, T	6
larder, T	6
lardonner, T	6
larguer, T	6
larmoyer, I, T	17
lasser, T, P	6
latiniser, I, T	6
latter, T	6
laver, T, P	6
layer, T	16

	n°
lécher, T, P	10
légaliser, T	6
légiférer, I	10
légitimer, T	6
léguer, T	10
lénifier, T	15
léser, T	10
lésiner, I, sur	6
lessiver, T	6
lester, T, P	6
leurrer, T, P	6
lever, I, T, P	9
léviger, T	8
levretter, I	6
lexicaliser, T	6
lézarder, I, T	6
liaisonner, T	6
liarder, I	6
libeller, T	6
libéraliser, T, P	6
libérer, T, P	10
licencier, T	15
licher, I, T	6
liciter, T	6
liéger, T	14
lier, T, P	15
ligaturer, T	6
ligner, T	6
lignifier, P	15
ligoter, T	6
liguer, T, P	6
limander, T	6
limer, T	6
limiter, T	6
limoger, T	8
limoner, T	6
limousiner, T	6
linger, T, P	8
liquéfier, T, P	15
liquider, T	6
lire, I, T, P	77
liserer, T	12

	n°
lisérer, T	10
lisser, T	6
lister, T	6
liter, T	6
lithographier, T	15
livrer, T, P	6
lober, T	6
localiser, T, P	6
locher, I, T	6
lock-outer, T	6
lofer, I	6
loger, I, T, P	8
longer, T	8
loquer, T, P	6
lorgner, T	6
lotionner, T	6
lotir, T	19
louanger, T	8
loucher, I	6
louchir, I	19
louer, T, P	6
loufer, I	6
louper, I, T	6
lourder, T	6
lourer, T	6
louver, T	6
louveter, T	11
louvoyer, I	17
lover, T, P	6
lubrifier, T	15
lucher, T	6
luger, I	8
luire, I	82
luncher, I	6
lustrer, T	6
luter, T	6
lutiner, T	6
lutter, I	6
luxer, T, P	6
lyncher, T	6
lyophiliser, T	6
lyser, T	6

m

	n°
macadamiser, T	6
macérer, I, T	10
mâcher, T	6
machicoter, I	6
machiner, T	6
mâchonner, T	6
mâchouiller, T	6
mâchurer, T	6
macler, I, T	6
maçonner, T	6
macquer, T	6
maculer, T	6
madéfier, T	15
madériser, T, P	6
madrigaliser, I	6
magasiner, T	6
magner, P	6
magnétiser, T	6
magnétoscoper, T	6
magnifier, T	15
magouiller, I, T	6
magyariser, T	6
maigrir, I, ♦, T	19
mailler, I, T, P	6
mainmettre, T	56
maintenir, T, P	23
maîtriser, T, P	6
majorer, T	6
malaxer, T	6
malfaire, I	D
≃ infinitif	
malléabiliser, T	6
mallouser, T	6
malmener, T	9

	n°
malter, T	6
maltraiter, T	6
mamelonner, T	6
manager, T	8
manchonner, T	6
mandater, T	6
mander, T	6
mandriner, T	6
manéger, T	14
mangeotter, T	6
manger, T	8
manier, T, P	15
maniérer, T	10
manifester, I, T, P	6
manigancer, T	7
manipuler, T	6
mannequiner, T	6
manœuvrer, I, T	6
manoquer, T	6
manquer, I, à, de, T, P	6
mansarder, T	6
manucurer, T	6
manufacturer, T	6
manutentionner, T	6
maquer, T	6
maquignonner, T	6
maquiller, T, P	6
marauder, I	6
marbrer, T	6
marchander, I, T	6
marcher, I	6
marcotter, T	6
margauder, I	6
marger, T	8
marginaliser, T	6
marginer, T	6
margot(t)er, I	6
marier, T, P	15
mariner, I, T	6
marivauder, I	6
marmiter, T	6
marmonner, T	6

	n°
marmoriser, T	6
marmotter, I, T	6
marner, I, T	6
maroquiner, T	6
maronner, I	6
marotiser, I	6
maroufler, T	6
marquer, I, T, P	6
marqueter, T	11
marrer, P	6
marronner, I	6
marsupialiser, T	6
marteler, T	12
martiner, T	6
martyriser, T	6
marxiser, T	6
masculiniser, T	6
masquer, I, T	6
massacrer, T	6
masser, I, T, P	6
massicoter, T	6
mastiquer, I	6
masturber, T, P	6
matcher, I, T	6
matelasser, T, P	6
mater, T	6
mâter, T	6
matérialiser, T, P	6
materner, T	6
materniser, T	6
mathématiser, T	6
mâtiner, T	6
matir, T	19
matraquer, T	6
matricer, T	7
matriculer, T	6
maturer, T	6
maudire, T	19
mais p.p. : maudit, e	
maugréer, I, T	13
maximaliser, T	6
maximiser, T	6

	n°
mazer, T	6
mazouter, I, T	6
mécaniser, T	6
mécher, T	10
mécompter, P	6
méconnaître, T	64
mécontenter, T	6
mécroire, T	68
médailler, T	6
médiatiser, T	6
médicamenter, T	6
médire, I, de	78
mais : (vous) médisez	
médiser, I	6
méditer, I, T	6
méduser, T	6
méfaire, I	D 62
≃ infinitif	
méfier, P	15
mégir, T	19
mégisser, T	6
mégoter, I, T	6
méjuger, de, T, P	8
mélanger, T, P	8
mêler, T, P	6
mémoriser, I, T	6
menacer, I, T	7
ménager, T, P	8
mendier, I, T	15
mendigoter, I, T	6
mener, I, T	9
mensualiser, T	6
mensurer, T	6
mentionner, T	6
mentir, I, à, P	25
menuiser, I	6
méprendre, P, sur, à	54
mépriser, T	6
merceriser, T	6
merdoyer, I	17
meringuer, T	6
mériter, de, T	6

	n°
mésallier, P	15
mésestimer, T	6
messeoir, I	50
mesurer, I, T, P	6
mésuser, de	6
métalliser, T	6
métamorphiser, T	6
métamorphoser, T, P	6
météoriser, T	6
métisser, T	6
métrer, T	10
mettre, T, P	56
meubler, T, P	6
meugler, I	6
meuler, T	6
meurtrir, T	19
mévendre, T	53
miauler, I	6
mignarder, T	6
mignoter, T, P	6
migrer, I	6
mijoter, I, T, P	6
militariser, T	6
militer, I	6
millésimer, T	6
mimer, T	6
minauder, I, T	6
mincir, I	19
miner, T	6
minéraliser, T	6
miniaturer, T	6
miniaturiser, T	6
minimiser, T	6
minorer, T	6
minuter, T	6
mirer, T, P	6
miroiter, I	6
miser, I, sur, T	6
missionner, T	6
miter, I, P	6
mithridatiser, T	6
mitiger, T	8

	n°
mitonner, I, T	6
mitrailler, T	6
mixer, T	6
mixtionner, T	6
mobiliser, T	6
modeler, T, P	12
modéliser, T	6
modérer, T, P	10
moderniser, T, P	6
modifier, T, P	15
moduler, I, T	6
moirer, T	6
moiser, T	6
moisir, I	19
moissonner, T	6
moiter, I	6
moitir, T	19
molester, T	6
moleter, T	11
mollarder, I, T	6
molletonner, T	6
mollir, I, T	19
momifier, T, P	15
monder, T	6
mondialiser, T	6
monétiser, T	6
monnayer, T	16
monologuer, I	6
monopoliser, T	6
monter, I, ♦, T, P	6
montrer, T, P	6
moquer, T, P	6
moraliser, I, T	6
morceler, T	11
mordancer, T	7
mordiller, I, T	6
mordorer, T	6
mordre, I, T, P	53
morfaler, T, P	6
morfier, T	15
morfiler, T	6
morfler, T	6

	n°
morfondre, P	53
morganer, T	6
morigéner, T	10
mortaiser, T	6
mortifier, T, P	15
motionner, I	6
motiver, T	6
motoriser, T	6
motter, P	6
moucharder, T	6
moucher, I, T, P	6
moucheronner, I	6
moucheter, T	11
moudre, T	74
mouetter, I	6
moufter, I	6
mouiller, I, T, P	6
mouler, T	6
mouliner, I, T	6
moulurer, T	6
mourir, I, ♦, P	34
mouronner, I, P	6
mousser, I	6
moutonner, I, T, P	6
mouvementer, T	6
mouver, I, P	6
mouvoir, I, de, T, P	44
moyenner, T	6
mucher, T	6
muer, I, T, P, en	6
mugir, I, T	19
mugueter, T	11
muloter, I	6
multipler, T	6
multiplexer, T	6
multiplier, T, P	15
municipaliser, T	6
munir, T, P, de	19
munitionner, T	6
murailler, T	6
murer, T, P	6
mûrir, I, T	19

	n°
murmurer, I, T	6
musarder, I	6
muscler, T	6
museler, T	11
muser, I	6
musiquer, I, T	6
musquer, T	6
musser, T	6
muter, T	6
mutiler, T	6
mutiner, P	6
mystifier, T	15

n

	n°
nacrer, T	6
nager, I, T	8
naître, I, ♦	65
nantir, T, P	19
napper, T	6
narguer, T	6
narrer, T	6
nasaliser, T	6
nasiller, I, T	6
natchaver, P	6
nationaliser, T	6
natter, T	6
naturaliser, T	6
naufrager, I	8
naviguer, I	6
navrer, T	6
nazifier, T	15
néantiser, T, P	6
nécessiter, T	6
nécroser, T, P	6
négliger, T, P	8
négocier, I, T, P	15
neigeoter, il	6

	n°
neiger, il	8
nervurer, T	6
nettoyer, T	17
neutraliser, T, P	6
neyer, P	6
niaiser, I	6
nicher, I, T, P	6
nickeler, T	11
nicotiniser, T	6
nidifier, I	15
nieller, T	6
nier, I, T	15
nigauder, I	6
nimber, T	6
nipper, T, P	6
nitrater, T	6
nitrer, T	6
nitrifier, T, P	15
nitrurer, T	6
niveler, T	11
noircir, I, T, P	19
noliser, T	6
nomadiser, I	6
nombrer, T	6
nominaliser, T	6
nommer, T, P	6
noper, T	6
nordir, I	19
normaliser, T, P	6
noter, T	6
notifier, T	15
nouer, I, T, P	6
nourrir, T, P	19
nover, T	6
noyauter, T	6
noyer, T, P	17
nuancer, T	7
nucléer, T	13
nuer, T	6
nuire, I, à, P	82
numériser, T	6
numéroter, T	6

O

	n°
obéir, I, à	19
obérer, T, P	10
objecter, T	6
objectiver, T	6
objurguer, I	6
obliger, T, P	8
obliquer, I	6
oblitérer, T	10
obnubiler, T	6
obombrer, T	6
obscurcir, T, P	19
obséder, T	10
observer, T, P	6
obstiner, P	6
obstruer, T	6
obtempérer, I, à	10
obtenir, T, P	23
obturer, T	6
obvenir, I, ♦	23
obvier, à	15
occasionner, T	6
occidentaliser, T, P	6
occire	D
≃ infinitif	
temps composés	
p.p. occis, e	
occlure, T	71
occulter, T	6
occuper, T, P	6
ocrer, T	6
octavier, I	15
octroyer, T, P	17
octupler, T	6
œdématier, T	15

	n°
œilletonner, T	6
œuvrer, I	6
offenser, T, P	6
officialiser, T	6
officier, I	15
offrir, T, P	27
offusquer, T, P	6
oindre, T	58
oiseler, I, T	11
ombrager, T	8
ombrer, T	6
omettre, T	56
ondoyer, I, T	17
onduler, I, T	6
opacifier, T	15
opaliser, T	6
opérer, I, T, P	10
opiacer, T	7
opiner, I	6
opiniâtrer, P	6
opposer, T, P	6
oppresser, T	6
opprimer, T	6
opter, I	6
optimaliser, T	6
optimiser, T	6
oranger, T	8
orbiter, I	6
orchestrer, T	6
ordonnancer, T	7
ordonner, T, P	6
organiser, T, P	6
organsiner, T	6
orientaliser, T, P	6
orienter, T, P	6
oringuer, T	6
ornementer, T	6
orner, I	8
orthographier, T	15
osciller, I	6
oser, T	6
ossifier, T, P	15

	n°
ostraciser, T	6
ôter, T, P	6
ouater, T	6
ouatiner, T	6
oublier, T, P	15
ouiller, T	6
ouïr, T	37
ourdir, T	19
ourler, T	6
outiller, T	6
outrager, T	8
outrepasser, T	6
outrer, T	6
ouvrager, T	8
ouvrer, I, T	6
ouvrir, I, T, P	27
ovaliser, T	6
ovationner, T	6
oxyder, T, P	6
oxygéner, T, P	10
oxytoniser, T	6
ozoniser, T	6

p

pacager, I, T	8
pacemaquer, I	6
pacifier, T	15
pacquer, T	6
pactiser, I	6
padoquer, P	6
paganiser, I, T	6
pagayer, I	16
pager, I, P	8
pageoter, P	6
paginer, T	6

	n°
pagnoter, I	6
paillarder, I, P	6
paillassonner, T	6
pailler, T	6
pailleter, T	11
paillonner, T	6
paisseler, T	11
paître, I, T	66
pajoter, P	6
palabrer, I	6
palancrer, T	6
ou palangrer, T	6
palanguer, I	6
ou palanquer, I	6
palataliser, T	6
paletter, T	6
palettiser, T	6
pâlir, I, T	19
palissader, T	6
palisser, T	6
palissonner, T	6
pallier, T	15
palmer, T	6
paloter, T	6
palper, T	6
palpiter, I	6
pâmer, I, P	6
panacher, I, T, P	6
paner, T	6
panifier, T	15
paniquer, I, P	6
panneauter, T	6
panner, T	6
panoramiquer, I	6
panser, T	6
panteler, I	11
pantoufler, I	6
papillonner, I	6
papilloter, T	6
papoter, I	6
papouiller, T	6
parachever, T	9

	n°
parachuter, T	6
parader, I	6
parafer, T	6
paraffiner, T	6
paraisonner, T	6
paraître, I, ♦	64
paralléliser, T	6
paralyser, T	6
parangonner, T	6
parapher, T	6
paraphraser, T	6
parasiter, T	6
parcellariser, T	6
parceller, T	6
parcelliser, T	6
parcheminer, T	6
parcoriser, T	6
parcourir, T	33
pardonner, T, à, P	6
parementer, T	6
parer, T, P	6
paresser, I	6
parfaire, T	D 62
≃ indicatif présent infinitif et p.p.	
parfiler, T	6
parfondre, T	53
parfumer, T, P	6
parier, I, T	15
parjurer, P	6
parkériser, T	6
parlementer, I	6
parler, I, T, de, P	6
parloter, I	6
parodier, T	15
parquer, I, T	6
parqueter, T	11
parrainer, T	6
parsemer, T	9
partager, T, P	8
participer, à, de	6
particulariser, T, P	6

	n°
partir, I, ♦, T	25
T : avoir maille à partir	
. . . .	D
des avis mi-partis	
partouser (...zer), I	6
parvenir, I, ♦	23
passementer, T	6
passepoiler, T	6
passer, I, ♦, T, P	6
passionner, T, P	6
passiver, T	6
pasteller, I, T	6
pasteuriser, T	6
pasticher, T	6
pastiller, T	6
pastiquer, I, T	6
patafloler, T	6
patarasser, T	6
patauger, I	8
pateliner, I, T	6
patenter, T	6
pâter, I	6
patienter, I	6
patiner, I, T	6
pâtir, I	19
pâtisser, I, T	6
patoiser, I	6
patouiller, I, T	6
patronner, T	6
patrouiller, I	6
patter, T	6
pâturer, I, T	6
paumer, T, P	6
paumoyer, T, P	17
paupériser, T	6
pauser, I	6
pavaner, P	6
paver, T	6
pavoiser, I, T	6
payer, I, T	16
peaufiner, T	6
peausser, I	6

	n°
pécher, I	10
pêcher, I, T	6
pédaler, I	6
peigner, T, P	6
peindre, T, P	57
peiner, I, T, P	6
peinturer, T	6
peinturlurer, T	6
pelauder, T, P	6
peler, I, T, P	12
pelleter, T	11
peloter, I, T	6
pelotonner, T, P	6
pelucher, I	6
pénaliser, T	6
pencher, I, T, P	6
pendiller, I	6
pendouiller, I	6
pendre, I, T, P	53
pénétrer, I, T, P	10
penser, I, à, T	6
pensionner, T	6
pépier, I	15
percer, I, T	7
percevoir, T	38
percher, I, T, P	6
percuter, I, T	6
perdre, I, T, P	53
pérégriner, I	6
pérenniser, T	6
perfectionner, T, P	6
perforer, T	6
péricliter, I	6
périmer, I, T	6
périphraser, I	6
périr, I	19
perler, I, T	6
permanenter, T	6
perméabiliser, T	6
permettre, T, P	56
permuter, I, T	6
pérorer, I	6

	n°
peroxyder, T	6
perpétrer, T	10
perpétuer, T, P	6
perquisitionner, I, T	6
perreyer, T	6
persécuter, T	6
persévérer, I, dans	10
persifler, T	6
persiller, T	6
persister, I, dans	6
personnaliser, T	6
personnifier, T	15
persuader, T, de, P	6
perturber, T	6
pervertir, T, P	19
peser, I, T	9
pester, I	6
pestiférer, T	10
pétarader, I	6
pétarder, I, T	6
péter, I, T, P	10
pétiller, I	6
pétitionner, I	6
pétrifier, T, P	15
pétrir, T	19
pétuner, I	6
peupler, I, T, P	6
phagocyter, T	6
philosopher, I	6
phlogistiquer, T	6
phosphater, T	6
phosphorer, I	6
photocopier, T	15
photographier, T	15
phraser, I, T	6
piaffer, I	6
piailler, I	6
planoter, I, T	6
piauler, I	6
picoler, I, T	6
picorer, I, T	6
picoter, T	6

	n°
piéger, T	14
pierrer, T	6
piéter, T, P	10
piétiner, I, T	6
pieuter, I, P	6
pif(f)er, T	6
pigeonner, T	6
piger, T	8
pigmenter, T	6
pignocher, I, T	6
piler, I, T	6
piller, T	6
pilonner, T	6
piloter, T	6
pimenter, T	6
pinailler, I	6
pinceauter, T	6
pincer, T	7
pindariser, I	6
pinter, I, I, T, P	6
piocher, I, T	6
pioger, I	8
pioncer, I	7
pionner, I	6
piper, I, T	6
pique-niquer, I	6
piquer, I, T, P	6
piqueter, T	11
pirater, I	6
pirouetter, I	6
pisser, I, T	6
pistacher, P	6
pister, T	6
pistonner, T	6
pitaucher, T	6
pitonner, I	6
pivoter, I, T	6
placarder, T	6
placer, T, P	7
plafonner, I, T	6
plagier, I, T	15
plaider, I, T	6

	n°
plaindre, T, P	59
plainer, T	6
plaire, I, à, P	63
plaisanter, I, T	6
planchéier, T	15
plancher, I	6
planer, I, T	6
planifier, T	15
planquer, T, P	6
planter, T, P	6
plaquer, T	6
plasmifier, T	15
plastifier, T	15
plastiquer, T	6
plastronner, I, T	6
platiner, T	6
platiniser, T	6
plâtrer, T	6
plébisciter, T	6
pleurer, I, T	6
pleurnicher, I	6
pleuvasser, il	6
pleuviner, il	6
pleuvoir, I, il	45
pleuvoter, il	6
plier, I, T, P	15
plisser, T, P	6
plomber, T	6
plonger, I, T, P	8
ploquer, T, P	6
ployer, I, T	17
plucher, I	6
plumer, I, T, P	6
pluviner, il	6
pocharder, P	6
pocher, I, T	6
poêler, T	6
poétiser, T	6
poignarder, T	6
poiler, P	6
poinçonner, T	6
poindre, I	58

	n°
pointer, I, T, P	6
pointiller, I, T	6
poireauter, I	6
aussi poiroter, I	6
poisser, T	6
poivrer, T, P	6
poivroter, P	6
polariser, T, P	6
polémiquer, I	6
policer, T	7
polir, T	19
polissonner, I	6
politiquer, T	6
politiser, T	6
polluer, I, T	6
polycopier, T	15
polymériser, T	6
pommader, T	6
pommeler, P	11
pommer, I	6
pomper, I, T	6
pomponner, T	6
poncer, T	7
ponctionner, T	6
ponctuer, T	6
pondérer, T	10
pondre, I, T	53
ponter, I, T	6
pontifier, I	15
pontiller, T	6
populariser, T	6
poquer, I	6
porphyriser, T	6
porter, I, T, P	6
portraiturer, T	6
poser, I, T, P	6
positionner, T	6
posséder, T, P	10
postdater, T	6
poster, T	6
posticher, I	6
postillonner, I	6

	n°
postposer, T	6
postsynchroniser, T	6
postuler, T	6
potasser, I, T	6
potiner, I	6
poudrer, T	6
poudroyer, I	17
pouffer, I	6
pouliner, I	6
pouponner, I	6
pourchasser, T	6
pourfendre, T	53
pourlécher, T, P	10
pourprer, P	6
pourrir, I, ♦, T, P	19
poursuivre, T, P	75
pourvoir, à, T, de, P	40
pousser, I, T, P	6
pouvoir, T, P, il	43
praliner, T	6
pratiquer, I, T, P	6
préacheter, T	12
préaviser, T	6
précautionner, T, P	6
précéder, T	10
prêcher, I, T	6
précipiter, T, P	6
préciser, T, P	6
précompter, T	6
préconiser, T	6
prédestiner, T	6
prédéterminer, T	6
prédire, T	78
prédisposer, T	6
prédominer, I	6
préempter, T	6
préétablir, T	19
préexister, I	6
préfacer, T	7
préférer, T	10
préfigurer, T	6
préfixer, T	6

	n°
préformer, T	6
préjudicier, I	15
préjuger, de, T	8
prélasser, P	6
prélever, T	9
préluder, I, à	6
préméditer, T	6
prémunir, T, contre, P	19
prendre, I, T, P	54
prénommer, T, P	6
préoccuper, T, P, de	6
préparer, T, P	6
préposer, T	6
présager, T	8
prescrire, I, T, P	80
présenter, I, T, P	6
préserver, T	6
présider, I, a, T	6
pressentir, T	25
presser, I, T, P	6
pressurer, T	6
pressuriser, T	6
présumer, de, T	8
présupposer, T	6
présurer, T	6
prétendre, à, T	53
prêter, I, T, P	6
prétexter, T	6
prévaloir, I, P, de	47
prévariquer, I	6
prévenir, T	23
prévoir, T	39
prier, I, T	15
primariser, T	6
primer, I, T	6
priser, I, T	6
prismatiser, T	6
privatiser, I	6
priver, T, P	6
privilégier, T	15
procéder, I, à, de	10
processionner, I	6

	n°
proclamer, T	6
procréer, T	13
procurer, T, P	6
prodiguer, T	6
produire, I, T, P	82
profaner, T	6
proférer, T	10
professer, I, T	6
profiler, I, T, P	6
profiter, I, a, de	6
programmer, I, T	6
progresser, I	6
prohiber, T	6
projeter, T	11
prolétariser, T	6
proliférer, I	10
prolonger, T, P	8
promener, T, P	9
promettre, I, T, P	56
promouvoir, T	44
promulguer, T	6
prôner, I, T	6
prononcer, I, T, P	7
pronostiquer, T	6
propager, T, P	8
prophétiser, I, T	6
proportionner, T, P	6
proposer, I, T, P	6
propulser, T, P	6
proroger, T	8
proscrire, T	80
prosodier, T	15
prospecter, T	6
prospérer, I	10
prosterner, P	6
prostituer, I, P	6
protéger, T	14
protester, I, de	6
prouver, T	6
provenir, I, ♦	23
proverbialiser, T	6
provigner, T	6

	n°
provoquer, T	6
psalmodier, I, T	15
psychanalyser, T	6
psychiatriser, I	6
publier, T	15
puddler, T	6
puer, I, T	6
rares : passé simple	
subj. imparfait	
et temps composés	
puiser, T	6
pulluler, I	6
pulser, T	6
pulvériser, T	6
punir, T	19
purger, T	8
purifier, T	15
putréfier, T, P	15
pyramider, I	6
pyrograver, T	6
pyrrhoniser, I	6

q

quadriller, T	6
quadrupler, I, T	6
qualifier, T, P	15
quantifier, T	15
quarderonner, T	6
quarrer, T	6
quartager, T	8
quarter, T	6
quémander, I, T	6
quereller, T, P	6
quérir, T	D
≃ infinitif	
aussi querir	

	n°
questionner, T	6
quêter, I, T	6
queuter, I	6
quintessencier, T	15
quintupler, I, T	6
quittancer, T	7
quitter, T	6
quotter, I	6

r

rabâcher, I, T	6
rabaisser, T, P	6
rabanter, T	6
rabattre, I, T, P	55
rabibocher, T	6
rabioter, I, T	6
râbler, T	6
rabonnir, I, T	19
raboter, T	6
rabougrir, I, T, P	19
rabouter, T	6
rabrouer, T	6
raccommoder, T, P	6
raccompagner, T	6
raccorder, T, P	6
raccourcir, I, T, P	19
raccoutrer, T	6
raccrocher, I, T, P	6
racheter, T, P	12
raciner, I, T	6
racler, T, P	6
racoler, T	6
raconter, T, P	6
racornir, T, P	19
rader, T	6
radicaliser, T, P	6

	n°
radier, T	15
radiner, I, P	6
radiobaliser, T	6
radiodiffuser, T	6
radiographier, T	15
radioguider, T	6
radioscoper, T	6
radiotélégraphier, T	15
radoter, I	6
radouber, T	6
radoucir, I, T, P	19
raffermir, T, P	19
raffiner, I, T	6
raffoler, T, de	6
rafistoler, T	6
rafler, T	6
rafraîchir, I, T, P	19
ragaillardir, T	19
rager, I	8
ragoter, I	6
ragoûter, T	6
ragrafer, T	6
ragréer, T	13
raguer, I, T, P	6
raidir, T, P	19
railler, I, T, P	6
rainer, T	6
raineter, T	11
rainurer, T	6
raire, I	61
raisonner, I, T, P	6
rajeunir, I, ♦, T, P	19
rajouter, T	6
ralentir, I, T, P	19
râler, I	6
ralinguer, T	6
ralléger, I	8
rallier, I, T, P	15
rallonger, I, T, P	8
rallumer, I, T, P	6
ramager, I, T	8
ramailler, T	6

	n°		n°		n°
ramander, T	6	rasseoir, I, T, P	49	réaffirmer, T	6
ramarder, T	6	rasséréner, T, P	10	r(é)affûter, T	6
ramarrer, T	6	rassir,	D	réagir, I, à	19
ramasser, T, P	6	$\simeq$ infinitif		r(é)ajuster, T, P	6
ramastiquer, T	6	et p.p. : rassis, e		réaléser, T	10
rambiner, I	6	**rassurer,** T, P	6	**réaliser,** T, P	6
ramender, T	6	ratatiner, T, P	6	réamorcer, T	7
ramener, T, P	9	ratatouiller, I	6	réanimer, T	6
ramer, I, T	6	râteler, T	11	réapparaître, I, ♦	64
rameuter, T, P	6	rater, I, T	6	r(é)apprendre, T	54
ramifier, T, P	15	ratiboiser, T	6	r(é)approvisionner, T, P	6
ramollir, T, P	19	ratifier, T	15	réargenter, T, P	6
ramoner, T	6	ratiner, T	6	réarmer, T, P	6
ramper, I	6	ratiociner, I	6	réarranger, T	8
rancarder, T	6	rationaliser, T	6	réassigner, T	6
rancir, I	19	rationner, T, P	6	r(é)assortir, T	19
rançonner, T	6	ratisser, T	6	réassurer, T, P	6
randonner, I	6	rattacher, T, P	6	rebaisser, I	6
ranger, T, P	8	**rattraper,** T, P	6	rebander, T	6
ranimer, T, P	6	raturer, T	6	rebaptiser, T	6
rapapilloter, T	6	raugmenter, I	6	rebâtir, T	19
rapatrier, T, P	15	**ravager,** T	8	rebattre, T	55
râper, T	6	ravaler, T, P	6	rebeller, P	6
rapetasser, T	6	ravauder, I, T	6	rebiffer, P	6
rapetisser, I, T, P	6	ravigoter, T	6	rebiquer, I, T	6
raplécer, T .. c/ç ➞7		ravilir, T	19	reblanchir, T	19
é/è ➞10		raviner, T	6	reboiser, T	6
rapiéceter, T	12	**ravir,** T	19	rebondir, I	19
rapiner, I, T	6	raviser, P	6	reborder, T	6
raplatir, T	19	ravitailler, T, P	6	reboucher, T, P	6
rapointir, T	19	raviver, T, P	6	rebouter, T	6
rappareiller, T	6	ravoir, T	D	reboutonner, T, P	6
rapparier, T	15	$\simeq$ infinitif		rebroder, T	6
rappeler, I, T, P	11	rayer, T, P	16	rebrousser, I, T	6
rappliquer, I	6	rayonner, I, T	6	rebuter, T, P	6
rapporter, I, T, P	6	razzier, T	15	recacheter, T	6
rapprocher, T, P	6	réabonner, T, P	6	recalcifier, T	15
raquer, I, T	0	réabsorber, T	6	recaler, T	6
raréfier, T, P	15	r(é)accoutumer, T, P	6	récapituler, T	6
raser, T, P	6	réactiver, T	6	recarder, T	6
rassasier, T, P	15	réadapter, T, P	6	recarreler, T	11
rassembler, T, P	6	réadmettre, T	56	recaser, T, P	6

	n°		n°		n°
recauser, I	6	recomposer, T, P	6	récurer, T	6
recéder, T	10	recompter, T	6	récuser, T, P	6
receler, I, T, P	12	réconcilier, T, P	15	recycler, T, P	6
recéler, I, T, P	10	**reconduire,** T	82	redécouvrir, T	27
recenser, T	6	recondamner, T	6	redéfaire, T	62
receper, T	9	réconforter, T, P	6	redemander, T	6
recéper, T	10	recongeler, T	12	redémolir, T	19
réceptionner, T	6	**reconnaître,** T, P	64	redescendre, I, ♦, T	53
recercler, T	6	reconnecter, T	6	redevenir, ♦	23
recevoir, I, T, P	38	reconquérir, T	24	redevoir, T	42
rechampir, T	19	reconsidérer, T	10	rédiger, T	8
réchampir, T	19	reconsolider, T	6	rédimer, T, P	6
rechanger, T	8	reconstituer, T, P	6	**redire,** T	78
rechanter, T	6	reconstruire, T	82	rediscuter, T	6
rechaper, T	6	reconvertir, T, P	19	redistribuer, T	6
réchapper, à, de	6	recopier, T	15	redonder, I	6
recharger, T	8	recoquiller, T, P	6	redonner, I, T	6
rechasser, I, T	6	recorder, T	6	redorer, T	6
réchauffer, T, P	6	recorriger, T	8	**redoubler,** I, de, T	6
rechausser, T, P	6	recoucher, T, P	6	**redouter,** T	6
rechercher, T	6	recoudre, T	73	**redresser,** T, P	6
rechigner, I	6	recouper, T, P	6	**réduire,** T, P, à, en.	82
rechristianiser, T	6	recourber, T, P	6	r(é)écrire, I, T	80
rechuter, I	6	recourir, I à, T	33	réédifier, T	15
récidiver, I	6	recouvrer, T	6	rééditer, T	6
réciter, T	6	**recouvrir,** T, P	27	rééduquer, T	6
réclamer, I, T, P	6	recracher, T, P	6	réélire, T	77
reclasser, T	6	recréer, T	13	réembaucher, T	6
récliner, I	6	récréer, T, P	13	r(é)employer, T	17
reclouer, I	6	recrépir, T	19	r(é)engager, T, P	8
reclure,	D	recreuser, T	6	réensemencer, T	7
≃ infinitif		récrier, P	15	réentendre, T	53
et p.p. : reclus, e		récriminer, I	6	rééquilibrer, T	6
recoiffer, T, P	6	recroiser, T	6	réer, I	13
récoler, T	6	recroître, I	67	réescompter, T	6
recoller, I, T, P	6	recroqueviller, P	6	r(é)essayer, T	16
recolorer, T	6	recruter, T, P	6	réévaluer, T	6
récolter, T	6	rectifier, T	15	réexaminer, T	6
recommander, T, P	6	**recueillir,** T, P	28	réexpédier, T	15
recommencer, I, T	7	recuire, I, T	82	réexporter, T	6
recomparaître, I	64	**reculer,** I, P	6	refaçonner, T	6
récompenser, T, P	6	récupérer, T	10	**refaire,** T, P	62

	n°
refendre, T	53
référencer, T	7
référer, (en), à, P	10
refermer, T, P	6
refiler, T	6
réfléchir, I, à sur, T, P, dans	19
refléter, T, P	10
refleurir, I, T	19
refluer, I	6
refondre, I, T	53
reforger, T	8
reformer, T	6
réformer, T, P	6
reformuler, T	6
refouiller, T	6
refouler, I, T	6
refourrer, T	6
réfracter, T	6
refréner, T	10
réfréner, T	10
réfrigérer, T	10
refroidir, I, T, P	19
réfugier, P	15
refuser, I, T, P	6
réfuter, T	6
regagner, I	6
régaler, T, P	6
regarder, I, T, P	6
regarnir, T	19
regazonner, T	6
regeler, il, T	12
régénérer, T	10
régenter, T	6
regimber, I, P	6
régionaliser, T	6
régir, T	19
réglementer, T	6
régler, T	10
régner, I	10
regonfler, I, T	6
regorger, I, de	8

	n°
regratter, I, T	6
regréer, T	13
regreffer, T	6
régresser, I	6
regretter, T	6
regrimper, I, T	6
regrossir, I	19
regrouper, T, P	6
régulariser, T	6
régurgiter, T	6
réhabiliter, T, P	6
réhabituer, T, P	6
rehausser, T, P	6
réifier, T	15
réimperméabiliser, T	6
réimplanter, T	6
réimporter, T	6
réimposer, T	6
réimprimer, T	6
réincarcérer, T	10
réincarner, T, P	6
réincorporer, T	6
réInfecter, T, P	6
réinscrire, T, P	80
réinsérer, T, P	10
réinstaller, T, P	6
réintégrer, T	10
réinterpréter, T	10
réintroduire, T	82
réinventer, T	6
réinvestir, T	19
réinviter, T	6
réitérer, T, P	10
rejaillir, I	19
rejeter, T, P	11
rejoindre, T, P	58
rejointoyer, T	17
rejouer, I, T	6
réjouir, T, P	19
relâcher, I, T, P	6
relaisser, P	6
relancer, T	7

	n°
rélargir, T	19
relater, T	6
relaver, T	6
relaxer, T, P	6
relayer, I, T, P	16
reléguer, T	10
relever, de, T, P	9
relier, T	15
relire, T, P	77
reloger, T	8
reloquer, P	6
relouer, T	6
reluire, T	82
reluquer, T	6
remâcher, T	6
remailler, T	6
remanger, T	8
remanier, T	15
remaquiller, T	6
remarchander, T	6
remarier, T, P	15
remarquer, T, P	6
remastiquer, T	6
remballer, T	6
rembarquer, T, P	6
rembarrer, T	6
rembiner, I, P	6
remblaver, T	6
remblayer, T	16
remboîter, T	6
rembouger, T	8
rembourrer, T	6
rembourser, T	6
rembrunir, T, P	19
rembucher, I, T	6
remédier, I, à	15
remembrer, T	6
remémorer, T, P	6
remercier, T	15
remettre, T, P	56
remeubler, T	6
remiser, T, P	6

	n°		n°		n°
remmailler, T	6	renfaîter, T	6	réorchestrer, T	6
remmailloter, T	6	**renfermer,** T, P	6	réordonnancer, T	7
remmancher, T	6	renfiler, T	6	réordonner, T	6
remmener, T	9	renflammer, T	6	réorganiser, T, P	6
remonter, I, T, P	6	renfler, I, T, P	6	réorienter, T, P	6
remontrer, en, à, T	6	renflouer, T	6	repairer, I	6
remordre, T	53	renfoncer, T	7	repaître, T, P	66
remorquer, T	6	renforcer, T, P	7	**répandre,** T, P	53
remoucher, T, P	6	renformir, T	19	**reparaître,** I, ♦	64
remoudre, T	74	renfrogner, P	6	**réparer,** T	6
remouiller, I, T	6	rengager, T	8	reparler, I	6
rempailler, T	6	rengainer, T	6	repartager, T	8
rempaqueter, T	11	rengorger, P	8	repartir, I, ♦	25
remparer, T	6	rengracier, I	15	**repartir,** T	25
rempiéter, T	10	rengrener, T	9	répartir, T, P	19
rempiler, I, T	6	rengréner, T	10	**repasser,** I, T, P	6
remplacer, T	7	renier, T	15	repatiner, T	6
remplier, T	15	renifler, I, T	6	repaver, T	6
remplir, T, P	19	renommer, T	6	repayer, T	16
remployer, T	17	**renoncer,** I, à, T	7	repêcher, T	6
remplumer, T, P	6	renouer, avec T, P	6	repeigner, T, P	6
rempocher, T	6	**renouveler,** T, P	11	repeindre, T	57
rempoissonner, T	6	rénover, T	6	rependre, T	53
remporter, T	6	renquiller, I, T, P	6	repenser, à T	6
rempoter, T	6	**renseigner,** T, P	6	**repentir,** P	25
remprunter, T	6	rentabiliser, T	6	repercer, T	7
remuer, I, T, P	6	rentamer, T	6	répercuter, T, P	6
rémunérer, T	10	renter, T	6	reperdre, T	53
renâcler, I, à	6	rentoiler, T	6	repérer, T, P	10
renaître, I	D 65	rentraire, T	61	répertorier, T	15
pas de p.p.!		**rentrer,** I, ♦	6	**répéter,** I, T, P	10
renarder, I	6	**rentrer,** T	6	repeupler, T, P	6
renauder, I	6	rentrouvrir, T	27	repincer, T	7
rencaisser, T	6	renvelopper, T	6	repiquer, à T	6
rencarder, T	6	renvenimer, T	6	replacer, T	7
renchaîner, T	6	renverger, T	8	replanter, T	6
renchérir, I	19	**renverser,** T, P	6	replâtrer, T	6
rencogner, T, P	6	renvider, T	6	repleuvoir, il	45
rencontrer, T, P	6	renvier, I, T	15	replier, T, P	15
rendormir, T, P	32	**renvoyer,** T, P	18	**répliquer,** I, T	6
rendosser, T	6	réoccuper, T	6	replisser, T	6
rendre, I, T, P	53	réopérer, T	10	replonger, I, T, P	8

	n°		n°		n°
reployer, T	17	resquiller, I, T	6	**retirer,** T, P	6
repolir, T	19	ressaigner, I, T	6	retisser, T	6
répondre, I, T, P	53	ressaisir, T, P	19	**retomber,** I, ♦	6
reporter, T, P	6	ressasser, T	6	retondre, T	53
reposer, I, T, P	6	ressauter, I, T	6	retordre, T	53
repousser, I, T, P	6	**ressembler,** à P	6	rétorquer, T	6
reprendre, I, T, P	54	ressemeler, T	11	retoucher, à T	6
représenter, I, T, P	6	ressemer, T	6	**retourner,** I, ♦, T, P	6
réprimander, T	6	**ressentir,** T, P de	25	retracer, T	7
réprimer, T	6	resserrer, T, P	6	rétracter, T, P	6
repriser, T	6	resservir, I, T, P	35	retraduire, T	82
reprocher, T, P	6	ressortir, I, T, ♦	25	retraire, T	61
reproduire, T, P	82	ressortir, à	19	retrancher, T, P	6
reprographier, T	15	ressouder, T	6	retranscrire, T	80
reprouver, T	6	ressourcer, P	7	retransmettre, T	56
réprouver, T	6	ressouvenir, P	23	retravailler, I, T	6
républicaniser, T	6	ressuer, I	6	retraverser, T	6
répudier, T	15	res(s)urgir, I	19	rétrécir, I, T, P	19
répugner, à il	6	ressusciter, I, ♦, T	6	rétreindre, T	57
réputer, T	6	ressuyer, T	17	retremper, T	6
requérir, T	24	restaurer, T, P	6	rétribuer, T	6
requinquer, T, P	6	**rester,** I, ♦, à	6	rétroagir, I	19
réquisitionner, T	6	restituer, T	6	rétrocéder, T	10
requitter, T	6	restreindre, T, P	57	rétrograder, I, T	6
resaler, T	6	restructurer, T	6	retrousser, T, P	6
resalir, T, P	19	**résulter,** I, ♦ D	6	**retrouver,** T, P	6
resaluer, T	6	≃ 3e personne		réunifier, T	15
rescinder, T	6	résumer, T, P	6	**réunir,** T, P	19
reséquer, T	10	**rétablir,** T, P	19	**réussir,** I, T	19
réserver, T, P	6	retailler, T	6	revacciner, T	6
résider, I	6	**rétamer,** T	6	revaloir, T	47
résigner, T, P	6	retaper, T, P	6	revaloriser, T	6
résilier, T	15	retapisser, T	6	revancher, P	6
résiner, T	6	**retarder,** I, T	6	rêvasser, I	6
résinifier, T	15	retâter, T	6	réveiller, T, P	6
résister, I à	6	reteindre, T	57	réveillonner, I	6
résonner, I	6	retendre, T	53	**révéler,** T, P	10
résorber, T, P	6	**retenir,** I, T, P	23	revendiquer, T	6
résoudre, T, P	72	retenter, T	6	revendre, T	53
respecter, T, P	6	retentir, I	19	**revenir,** I, ♦, P en	23
respirer, I, T	6	retercer, T	7	**rêver,** I à de T	6
resplendir, I	19	reterser, T	6	réverbérer, T, P	10

149

	n°
revercher, T	6
reverdir, I, T	19
révérer, T	10
reverser, T	6
revêtir, T	26
revigorer, T	6
revirer, I	6
réviser, T	6
revisser, T	6
revitaliser, T	6
revivifier, T	15
revivre, I, T	76
revoir, T, P	39
révolter, T, P	6
révolutionner, T	6
révolvériser, T	6
révoquer, T	6
revoter, I, T	6
revouloir, T	48
révulser, T	6
rhabiller, T, P	6
rhumer, T	6
ribler, T	6
ribouldinguer, I	6
ribouler, I	6
ricaner, I	6
ricocher, I	6
rider, T, P	6
ridiculiser, T, P	6
riffauder, I, T	6
rifler, T	6
rigoler, I	6
rimailler, I	6
rimer, I, T	6
rincer, T, P	7
ringarder, T	6
ripailler, I	6
riper, I, T	6
ripoliner, T	6
riposter, I à	6
rire, I de P	79
risquer, T, P à	6

	n°
rissoler, I, T	6
ristourner, T	6
rivaliser, I	6
river, T	6
riveter, T	11
rober, T	6
robotiser, T	6
ro(c)quer, I	6
roder, T	6
rôder, I	6
rogner, I, T	6
rognonner, T	6
roidir, T, P	19
romancer, T	7
romaniser, T, P	6
rompre, I, T, P	53
ronchonner, I	6
rondir, T	19
ronflaguer, I	6
ronfler, I	6
ronger, T, P	8
ronronner, I	6
ronsardiser, I	6
roser, T	6
rosir, I, T	19
rosser, T	6
roter, I	6
rôtir, I, T, P	19
roucouler, I, T	6
rouer, I, T	6
rougeoyer, I	17
rougir, I, T	19
rougnotter, I	6
rouiller, I, T, P	6
rouir, I, T	19
rouler, I, T, P	6
roulotter, T	6
roupiller, I	6
rouscailler, I	6
rouspéter, I	10
roussir, I, T	19
roustir, T	19

	n°
router, T	6
rouvrir, I, T, P	27
rubaner, T	6
rubéfier, T	15
rucher, T	6
rudenter, T	6
rudoyer, T	17
ruer, I, P	6
rugir, I	19
ruiler, T	6
ruiner, T, P	6
ruisseler, I	11
ruminer, T	6
rupiner, I	6
ruser, I	6
russifier, T	15
rustiquer, T	6
rutiler, I	6
rythmer, T	6

S

	n°
sabler, I, T	6
sablonner, T	6
saborder, T, P	6
saboter, I, T	6
sabouler, T, P	6
sabrer, T	6
sacagner, T	6
saccader, T	6
saccager, T	8
saccharifier, T	15
sa(c)quer, T	6
sacraliser, T	6
sacrer, I, T	6
sacrifier, T, P	15
safraner, I	6

	n°
saigner, I, T, P	6
saillir, I	D 29
≃ infinitif	
3es personnes	
saillir, T	D 19
≃ infinitif	
3es personnes	
saisir, T, P	19
saisonner, I	6
salarier, T	15
saler, T	6
salir, T, P	19
saliver, I	6
saloper, T	6
salpêtrer, T	6
saluer, T, P	6
sanctifier, T	15
sanctionner, T	6
sandwicher, T	6
sangler, T, P	6
sangloter, I	6
sa(n)tonner, T	6
saouler, T, P	6
saper, T, P	6
saponifier, T	15
sarcler, T	6
sasser, T	6
sataner, T	6
satelliser, T	6
satiner, T	6
satiriser, T	6
satisfaire, T à, P de	62
saturer, T	6
saucer, T	7
saucissonner, I	6
saumurer, T	6
sauner, I	6
saupoudrer, T de	6
saurer, T	6
saurir, T	19
sauter, I, T	6
sautiller, I	6

	n°
sauvegarder, T	6
sauver, T, P	6
savoir, I, T, P	41
savonner, T, P	6
savourer, T	6
scalper, T	6
scandaliser, T, P	6
scander, T	6
scarifier, T	15
sceller, T	6
schématiser, T	6
schlinguer, T	6
schlitter, T	6
scier, I, T	15
scinder, T, P	6
scintiller, I	6
sciotter, T	6
scissionner, I	6
scléroser, T, P	6
scolariser, T	6
scotcher, T	6
scratcher, T, P	6
scribouiller, T	6
scruter, T	6
sculpter, T	6
sécher, I, T, P	10
seconder, T	6
secouer, T, P	6
secourir, T	33
sécréter, T	10
sectionner, T	6
séculariser, T	6
sédentariser, T, P	6
séduire, T	82
segmenter, T	6
séjourner, I	6
sélectionner, T	6
seller, T	6
sembler, I, il	6
semer, T	9
semoncer, T	7
sensibiliser, T	6

	n°
sentir, I, T, P	25
seoir, I, P	50
séparer, T, P	6
septupler, I, T	6
séquestrer, T	6
sérancer, T	7
serfouir, T	19
sérialiser, T	6
sérier, T	15
seriner, T	6
seringuer, T	6
sermonner, T	6
serpenter, I	6
serrer, I, T, P	6
sertir, T	19
servir, I, T, P	35
sévir, I contre	19
sevrer, T	6
sextupler, I, T	6
sexualiser, T	6
shampooingner, T	6
ou shampouiner, T	6
shooter, I, P	6
shunter, T	6
sidérer, T	10
siéger, I	14
siffler, I, T	6
siffloter, I, T	6
signaler, T, P	6
signaliser, T	6
signer, T, P	6
signifier, T	15
silhouetter, T	6
silicatiser, P	6
siliconer, T	6
sillonner, T	6
similiser, T	6
simplifier, T, P	15
simuler, T	6
singer, T	8
singulariser, T, P	6
siniser, T	6

	n°
siphonner, T	6
siroter, T	6
situer, T, P	6
skier, I	15
slalomer, I	6
slaviser, T	6
smasher, I	6
smiller, T	6
snober, T	6
socialiser, T	6
socratiser, I	6
sodomiser, T	6
soigner, T, P	6
solariser, T	6
solder, T, P	6
solenniser, T	6
solfier, T	15
solidariser, T, P	6
solidifier, T, P	15
solifluer, I	6
soliloquer, I	6
solliciter, T	6
solmiser, T	6
solubiliser, T	6
solutionner, T	6
somatiser, T	6
sombrer, I dans	6
sommeiller, I	6
sommer, T	6
somnoler, I	6
sonder, T	6
songer, I à	8
sonnailler, I, T	6
sonner, I, ♦, T	6
sonoriser, T	6
sophistiquer, T	6
sorguer, I	6
sortir, I, ♦	25
sortir, T, P de	25
sortir, T	D 19
jurisprudence	
≃ 3ᵉ personne	

	n°
soubattre, T	55
soubresauter, I	6
soucheter, T	11
souchever, T	9
soucier, P de	15
souder, T, P	6
soudoyer, T	17
souffler, I, T	6
souffleter, T	11
souffrir, I, T, P	27
soufrer, T	6
souhaiter, T	6
souiller, T	6
soulager, T, P	8
soûler, T, P	6
soulever, T, P	9
souligner, T	6
soumettre, T, P à	56
soumissionner, T	6
soupçonner, T	6
souper, I	6
soupeser, T	9
soupirer, I	6
souquer, I, T	6
sourciller, I	6
sourdiner, T	6
sourdre, I,	D
≃ sourd	
sourdent	
sourdait	
sourdaient	
et infinitif	
sourire, I, à de P	79
souscrire, I à	80
sous-alimenter, T	6
sous-entendre, T	53
sous-estimer, T	6
sous-évaluer, T	6
sous-exposer, T	6
sous-louer, T	6
sous-tendre, T	53
sous-titrer, T	6

	n°
soustraire, T	61
sous-traiter, T	6
soutacher, T	6
soutenir, T, P	23
soutirer, T	6
souvenir, I, il P	23
soviétiser, T	6
spathifier, T	15
spatialiser, T	6
spécialiser, T, P	6
spécifier, T	15
spéculer, I sur	6
sphacéler, T	10
spiritualiser, T	6
spitter, T	6
splitter, T	6
spolier, T	15
sporuler, I	6
sprinter, I	6
stabiliser, T, P	6
staffer, T	6
stagner, I	6
staliniser, T	6
standardiser, T	6
stationner, I, ♦	6
statuer, I sur, T	6
statufier, T	15
sténographier, T	15
sténotyper, T	6
stéréotyper, T	6
stérer, T	10
stériliser, T	6
stigmatiser, T	6
stimuler, T	6
stipendier, T	15
stipuler, T	6
stocker, T	6
stopper, I, T	6
stranguler, T	6
stratifier, T	15
striduler, I	6
strier, T	15

	n°
stripper, T	6
striquer, T	6
structurer, T	6
stupéfaire, T,	D
≃ stupéfait, e	
et temps composés	
stupéfier, T	15
stuquer, T	6
styler, T	6
styliser, T	6
subdéléguer, T	10
subdiviser, T	6
subir, T	19
subjuguer, T	6
sublimer, I, T	6
submerger, T	8
subodorer, T	6
subordonner, T	6
suborner, T	6
subroger, T	8
subsister, I	6
substantiver, T	6
substituer, T, P	6
subtiliser, I, T	6
subvenir, à	23
subventionner, T	6
subvertir, T	19
succéder, à P	10
succomber, I à	6
sucer, I, T, P	7
suçoter, T	6
sucrer, I, T, P	6
suer, I, T	6
suffire, il de, I à P	81
suffixer, T	6
suffoquer, I, T	6
suggérer, T	10
suggestionner, I	6
suicider, P	6
suif(f)er, T	6
suinter, I, T	6
suivre, I, T, P	75

	n°
sulfater, T	6
sulfiter, T	6
sulfoner, T	6
sulfurer, T	6
superfinir, T	19
superposer, T, P	6
superviser, T	6
supplanter, T	6
suppléer, à T	13
supplémenter, T	6
supplicier, T	15
supplier, T	15
supporter, T	6
supposer, T	6
supprimer, T, P	6
suppurer, I	6
supputer, T	6
surabonder, I	6
surajouter, T	6
suralimenter, T	6
surbaisser, T	6
surcharger, T	8
surchauffer, T	6
surclasser, T	6
surcomprimer, T	6
surcontrer, T	6
surcouper, T	6
surdorer, T	6
surédifier, T	15
surélever, T	9
surenchérir, I	19
surentraîner, T	6
suréquiper, T	6
surestimer, T	6
surévaluer, T	6
surexciter, T	6
surexposer, T	6
surfacer, I, T	7
surfaire, T	62
surfer, I	6
surfiler, T	6
surgeler, T	12

	n°
surgeonner, I	6
surgir, I	19
surglacer, T	7
surhausser, T	6
surimposer, T, P	6
suriner, T	6
surir, I	19
surjaler, I	6
surjeter, T	11
surlier, T	15
surmener, T, P	9
surmonter, T	6
surmouler, T	6
surnager, I	8
surnommer, T	6
suroxyder, T	6
surpasser, T, P	6
surpayer, T	16
surprendre, T, P	54
surproduire, T	82
sursaturer, T	6
sursauter, I	6
sursemer, T	9
surseoir, à T	51
surtaxer, T	6
surtondre, T	53
surveiller, T, P	6
survenir, I, ♦	23
survivre, I à, P	76
survoler, T	6
survolter, T	6
susciter, T	6
suspecter, T	6
suspendre, T, P	53
sustenter, T, P	6
susurrer, I, T	6
suturer, T	6
swinguer, I	6
syllaber, T	6
symboliser, T	6
symétriser, I, T	6

	n°
sympathiser, I	6
synchroniser, T	6
syncoper, T	6
syncristalliser, I	6
syndicaliser, T	6
syndiquer, T, P	6
synthétiser, I, T	6
syntoniser, T	6
systématiser, I, T	6

t

	n°
tabasser, T	6
tabler, sur T	6
tabuler, I	6
tacher, I, T, P	6
tâcher, T de	6
tacheter, T	11
taillader, T	6
tailler, I, T, P	6
taire, I, P	63
taler, T	6
taller, I	6
talocher, T	6
talonner, I, T	6
talquer, T	6
tambouriner, I, T	6
tamiser, I, T	6
tamponner, T, P	6
tancer, T	7
tanguer, I	6
tanner, T	6
tan(n)iser, T	6
tapager, I	8
taper, I, T, P	6
tapir, P	19

	n°
tapisser, T	6
taponner, T	6
tapoter, I, T	6
taquer, T	6
taquiner, T, P	6
tarabiscoter, T	6
tarabuster, T	6
tarauder, T	6
tarder, I à il	6
tarer, T	6
targuer, P	6
tarifer, T	6
tarir, I, T, P	19
tarmacadamiser, T	6
tartiner, I, T	6
tartir, I	19
tasser, I, T, P	6
tâter, de, y, T, P	6
tatillonner, I	6
tâtonner, I	6
tatouer, T	6
taveler, T, P	11
taveller, T	6
taxer, T de	6
tayloriser, T	6
techniser, T	6
techniciser, T	6
technocratiser, T, P	6
t(e)iller, T	6
teindre, T, P	57
teinter, T, P	6
télécommander, T	6
télécopier, T	15
télégraphier, I, T	15
téléguider, T	6
télémétrer, I, T	10
téléphoner, I à, T	6
télescoper, T, P	6
téléviser, T	6
témoigner, I, T	6
tempérer, T, P	10
tempêter, I	6

	n°
temporiser, I	6
tenailler, T	6
tendre, à vers, T, P	53
tenir, I à de, T, P	23
tenonner, T	6
ténoriser, I	6
tenter, I de T	6
tercer, T	7
tergiverser, I	6
terminer, T, P	6
ternir, I, T, P	19
terrasser, I, T	6
terreauter, T	6
terrer, I, T, P	6
terrifier, T	15
terrir, I	19
terroriser, T	6
terser, T	6
tester, I, T	6
tétaniser, T	6
téter, I, T	10
texturer, T	6
texturiser, T	6
théâtraliser, I, T	6
thématiser, T	6
théoriser, I, T	6
thésauriser, I, T	6
tictaquer, I	6
tiédir, I, T	19
tiercer, I, T	7
tigrer, T	6
timbrer, T	6
tinter, I, T	6
tintinnabuler, I	6
tiquer, I	6
tirailler, I, T	6
tirebouchonner, T	6
ou tire-bouchonner, T	6
tirer, I, T, P	6
tiser, T	6
tisonner, I, T	6
tisser, T	6

	n°
i(s)tre, T,	D
≃ p.p. tissu, e	
et temps composés	
titiller, I, T	6
titrer, T	6
tituber, I	6
titulariser, T	6
toaster, I	6
toiler, T	6
toiletter, T	6
toiser, T	6
tolérer, T	10
tomber, I ♦, T	6
tomer, T	6
tondre, T	53
tonifier, T	15
tonitruer, I	6
tonner, il I	6
tonsurer, T	6
tontiner, T	6
toper, I	6
topicaliser, T	6
toquer, I, P	6
torcher, T, P	6
torchonner, T	6
tordre, T, P	53
toréer, I	13
toronner, I	6
torpiller, T	6
torréfier, T	15
torsader, T	6
tortiller, I, T, P	6
tortorer, T	6
torturer, T, P	6
totaliser, T	6
toucher, I, T, P	6
touer, T	6
touiller, T	6
toupiller, I, T	6
toupiner, I	6
tourber, I	6
tourbillonner, I	6

	n°
tourillonner, I	6
tourmenter, T, P	6
tournailler, I	6
tournasser, T	6
tournebouler, T	6
tourner I, ♦, T, P	6
tournicoter, T	6
tourniller, I	6
tourniquer, I	6
tournoyer, I	17
toussailler, I	6
tousser, I	6
toussoter, I	6
trabouler, I	6
tracaner, T	6
tracasser, T, P	6
tracer, I, T	7
tracter, T	6
traduire, T, P	82
trafiquer, I de T	6
trahir, T, P	19
traînailler, I, T	6
traînasser, I, T	6
traîner, I, T, P	6
traire, T	61
traiter, I, T, P	6
tramer, T, P	6
tranchefiler, T	6
trancher, I, T	6
tranquilliser, T, P	6
transbahuter, T, P	6
transborder, T	6
transcender, T	6
transcoder, T	6
transcrire, T	80
transférer, T	10
transfigurer, T	6
transfiler, T	6
transformer, T, P	6
transfuser, T	6
transgresser, T	6
transhumer, T	6

	n°
transiger, I avec, sur	8
transir, T	19
transistoriser, T	6
transiter, I, T	6
translater, T	6
translit(t)érer, T	10
transmettre, T, P	56
transmigrer, I	6
transmuer, T	6
transmuter, T	6
transparaître, I	64
transpercer, T	7
transpirer, I	6
transplanter, T, P	6
transporter, T, P	6
transposer, T	6
transsubstantier, T	15
transsuder, I, T	6
transvaser, T	6
transvider, T	6
traquer, T	6
traumatiser, T	6
travailler, I, T, P	6
travailloter, I	6
traverser, T	6
travestir, T, P	19
trébucher, I, ♦, T	6
tréfiler, T	6
tréfondre, I	53
treillager, T	8
treillisser, T	6
trémater, I	6
trembler, I	6
trembloter, I	6
trémousser, P	6
tremper, I, T, P	6
trémuler, I, T	6
trépaner, T	6
trépasser, I, ♦	6
trépider, I	6
trépigner, I, T	6
tressaillir, I	29

	n°
tressauter, I	6
tresser, T	6
treuiller, T	6
trévirer, T	6
trianguler, T	6
triballer, T	6
tricher, I à, sur	6
tricoter, I, T	6
trier, T	15
trifouiller, I, T	6
triller, I	6
trimarder, I	6
trimbal(l)er, T, P	6
trimer, I	6
tringler, T	6
trinquer, I	6
triompher, I de	6
tripatouiller, T	6
tripler, I, T	6
tripoter, I, T	6
triquer, T	6
triséquer, T	10
trisser, I, T, P	6
triturer, T	6
tromper, T, P	6
trompeter, I, T	11
tronçonner, T	6
trôner, I	6
tronquer, T	6
tropicaliser, T	6
troquer, T	6
trotter, I, P	6
trottiner, I	6
troubler, T, P	6
trouer, T, P	6
troussequiner, T	6
trousser, I, T, P	6
trouver, T, P	6
truander, I, T	6
trucider, T	6
truffer, T	6
truquer, I, T	6

	n°
trusquiner, T	6
truster, T	6
tuber, T	6
tuberculiner, T	6
tuberculiniser, T	6
tuberculiser, T	6
tuer, T, P	6
tuiler, T	6
tuméfier, T, P	15
turbiner, I, T	6
turlupiner, T	6
tuteurer, T	6
tutoyer, T, P	17
tuyauter, T	6
twister, I	6
tympaniser, T	6
typer, T	6
typiser, T	6
tyranniser, T	6

u

	n°
ulcérer, T, P	10
ululer, I	6
unifier, T, P	15
unir, T, P	19
universaliser, T, P	6
urbaniser, T, P	6
urger, I, ≃ 3e pers.	8
uriner, I	6
user, I, T, de, P	6
usiner, I, T	6
usurper, T	6
utiliser, T	6

v

	n°
vacciner, T	6
vaciller, I	6
vadrouiller, I, P	6
vagabonder, I	6
vagir, I	19
vaguer, I	6
vaincre, I, T, P	60
vaironner, I	6
valdinguer, I	6
valeter, I	11
valider, T	6
valiser, I, T	6
vallonner, P	6
valoir, I, T, P	47
valoriser, T	6
valouser, T	6
valser, I, T	6
vamper, T	6
vanner, T	6
vanter, T, P	6
vaporiser, T	6
vaquer, I à	6
varapper, I	6
varier, I, T	15
varloper, T	6
vaseliner, T	6
vaser, il	6
vasouiller, I	6
vassaliser, T	6
vaticiner, I	6
vautrer, P	6
végéter, I	10
véhiculer, T	6
veiller, I à, T	6
veiner, T	6

	n°
vélariser, T	6
vêler, I	6
velouter, T	6
vendanger, I, T	8
vendre, T, P	53
vénérer, T	10
venger, T, P	8
venir, I, ♦, P, en	23
venter, il	6
ventiler, T	6
ventouser, T	6
verbaliser, I, T	6
verbiager, I	8
verdir, I, T	19
verdoyer, I	17
verduniser, T	6
verglacer, il	7
vérifier, T, P	15
verjuter, T	6
vermiculer, I	6
vermiller, I	6
vermillonner, T	6
vermouler, P	6
vernir, T	19
vernisser, T	6
verrouiller, T, P	6
verser, I, T, P	6
versifier, I, T	15
vesser, I	6
vétiller, I	6
vêtir, T, P	26
vexer, T, P	6
viabiliser, T	6
viander, I, P	6
vibrer, I, T	6
vibrionner, I	6
vicier, T	15
vidanger, T	8
vider, T, P	6
vidimer, T	6
vieillir, I, ♦, T, P	19
vieller, I	6

	n°
vilipender, T	6
villégiaturer, I	6
vinaigrer, T	6
viner, T	6
vinifier, T	15
violacer, T, P	7
violenter, T	6
violer, T	6
violoner, I	6
vioquir, I	19
virer, I, T	6
virevolter, I	6
virguler, T	6
viriliser, T	6
viroler, T	6
viser, I à T	6
visionner, T	6
visiter, T	6
visser, T	6
visualiser, T	6
vitrer, T	6
vitrifier, T	15
vitrioler, I	6
vitupérer, contre, T	10
vivifier, T	15
vivoter, I	6
vivre, I, T	76
vocaliser, I, T	6
vociférer, I, T	10
voguer, I	6
voiler, T, P	6
voir, I, T, P	39
voisiner, I	6
voiturer, T	6
volatiliser, T, P	6
volcaniser, T	6
voler, I, T	6
voleter, I	11
voliger, T	8
volter, I	6
voltiger, I	8
vomir, T	19

	n°
voter, I, T	6
vouer, T à P à	6
vouloir, I, T en P de	48
vousoyer, T, P	17
voussoyer, T, P	17
voûter, T, P	6
vouvoyer, T, P	17
voyager, I	8
vriller, I, T	6
vrombir, I	19
vulcaniser, T	6
vulgariser, T	6

W

	n°
warranter, T	6

Z

	n°
zébrer, T	10
zester, T	6
zézayer, I, T	16
ziber, T	6
zieuter, T	6
zigouiller, T	6
ziguer, T	6
zigzaguer, I	6
zinguer, T	6
zinzinuler, I	6
zoner, P	6
zozoter, I	6
zyeuter, T	6

CODE DES SIGNES DU DICTIONNAIRE

battre   Ces verbes sont particulièrement fréquents (voir l'Échelle D-B Ters et Reichenbach, tranches 1 et 2).

19   Renvoi aux verbes types dans les tableaux.

19   Renvoi aux tableaux (soit au modèle soit aux notes).

à, de etc.   Rappel de la préposition régie par le verbe.

I   Verbe ou emploi intransitif.

T   Verbe ou emploi transitif direct.

P   Verbe ou emploi pronominal.

P   Participe invariable dans l'emploi pronominal.

◆   Ce verbe se conjugue avec *être*.

◆   Ce verbe se conjugue avec *être* OU *avoir* (cf. p. 100).

D   Verbe défectif.

il   Verbe ou emploi impersonnel.

≃   Ne s'emploie que sous cette forme.

Imp. TARDY QUERCY S.A. Bourges - Dépôt légal : 6171 - Janvier 1983 - Imp. N° 10846
Imprimé en France